HÉLIO OITICICA

A marca FSC® é a garantia de que a madeira utilizada na fabricação do papel deste livro provém de florestas que foram gerenciadas de maneira ambientalmente correta, socialmente justa e economicamente viável, além de outras fontes de origem controlada.

WWWAAALYYYYYYYYYYYYYYYSALOMÃOMMMMMMMM

HÉLIO OITICICA

QUAL
É
O
PARANGOLÉ?
E
OUTROS
ESCRITOS

COMPANHIA DAS LETRAS

Copyright © 2015 by herdeiros de Waly Salomão

Grafia atualizada segundo o Acordo Ortográfico da Língua Portuguesa de 1990, que entrou em vigor no Brasil em 2009.

Capa e projeto gráfico
Elisa von Randow

Foto de capa
Claudio Oiticica
© César e Claudio Oiticica

Preparação
Maria Leny dos Santos Cordeiro

Revisão
Marina Nogueira
Carmen T. S. Costa

Dados Internacionais de Catalogação na Publicação (CIP)
(Câmara Brasileira do Livro, SP, Brasil)

Salomão, Waly
   Hélio Oiticica : Qual é o parangolé? E outros escritos / Waly Salomão. — 1ª ed. — São Paulo : Companhia das Letras, 2015.

ISBN 978-85-359-2572-2

   1. Arte brasileira – Século 20 2. Artistas plásticos – Brasil – Biografia 3. Oiticica, Hélio, 1937-1980. Parangolé I. Título.

15-02556   CDD-730.92981

Índice para catálogo sistemático:
1. Artistas plásticos brasileiros : Biografia e obra 730.92981

[2015]
Todos os direitos desta edição reservados à
EDITORA SCHWARCZ S.A.
Rua Bandeira Paulista, 702, cj. 32
04532-002 — São Paulo — SP
Telefone: (11) 3707-3500
Fax: (11) 3707-3501
www.companhiadasletras.com.br
www.blogdacompanhia.com.br

SUMÁRIO

7   Qual é o parangolé?

107   HOmmage

121   Quase Heliogábalo

127   *Apêndice*

137   *Crédito das imagens*

QUAL É O PARANGOLÉ? QUAL É O PARANGOLÉ? QUAL É O PARANGOLÉ? QUAL É O PARANGOLÉ? QUAL É O PARANGOLÉ? QUAL É O PARANGOLÉ? QUAL É O PARANGOLÉ? QUAL É O PARANGOLÉ? QUAL É O PARANGOLÉ? **QUAL É O PARANGOLÉ?** QUAL É O PARANGOLÉ? QUAL É O PARANGOLÉ? QUAL É O PARANGOLÉ? QUAL É O PARANGOLÉ? QUAL É O PARANGOLÉ? QUAL É O PARANGOLÉ? QUAL É O PARANGOLÉ? QUAL É O PARANGOLÉ? QUAL É O PARANGOLÉ? QUAL É O PARANGOLÉ? QUAL É O PARANGOLÉ? QUAL É O PARANGOLÉ? QUAL É O PARANGOLÉ? QUAL

QUAL É O PARANGOLÉ?

Publicado originalmente na coleção Perfis do Rio.
Rio de Janeiro: Relume-Dumará, 1996.

Estabelecer conexões o mais imediatamente possível com o mais próximo ou bem você está ostentando sua careta usufruindo os privilégios da morte ou bem você está se esgueirando entre os mausoléus correndo sempre o risco de resvalar na trincheira das covas se eles constroem a parede sua missão é infiltrar-se pelas ranhuras com a instintiva incautela de um réptil que estivesse sempre no novo.

ROGÉRIO DUARTE, inventor da designação APOCALIPOPÓTESE para a manifestação de vários artistas no Aterro do Flamengo (RJ-1967) e do esquizofilme *Evang'hélio* (RJ-1970)

Pois quando escuto ou leio, as palavras nem sempre vêm atingir em mim significações já presentes. Têm o extraordinário poder de me atrair para fora de meus pensamentos, abrem em meu universo privado fissuras por onde irrompem outros pensamentos.

MAURICE MERLEAU-PONTY, "O homem e a adversidade"

Não me consigo ver sem estar falando o tempo todo, e desse modo sentir que quando estava falando quando estava observando não estava somente ouvindo mas observando enquanto falava ao mesmo tempo a relação entre o saber-me falando e os a quem estava falando, e incidentalmente a quem estava ouvindo o que me vinham dizer o dizer-me à sua maneira tudo o que os constituía.

GERTRUDE STEIN, *The Gradual Making of the Making of Americans*, tradução de Hélio Oiticica

QUESTÃO DE MÉTODO

Um estilo enviesado é o que vou abusar aqui, uma conversa entrecortada igual ao labirinto das quebradas dos morros cariocas, zigue-zague entre a escuridão e a claridade. Lama, foguete, saraivada de balas, ricochete de bala, vala a céu aberto, prazer, esplendor, miséria. Igual a um labirinto e a arte proverá dos barracos das favelas do Rio de Janeiro. Variedade de elementos e, principalmente, ambiguidade de tratamento. Escrever tateando como se experimentasse saber das coisas que não se sabia ainda que se sabia. Os materiais heteróclitos, multiformes, almejando um sentido esperto de forma. A passagem do caos ao cosmo e a rara capacidade de se esvaziar de novo e retraçar o caminho inverso, do cosmo ao caos. De modo que é o processo criativo total que é ativado impedindo o fetichismo coagulador da obra feita. Para iniciar a corrida são necessários dois ou três pressupostos básicos: tomar uma boa talagada de inconformismo cultural-ético-político-social, evitar a arapuca armada do folclore e destravar a armadilha preparada pelo esteticismo. Para poder penetrar genuinamente — o genuíno não sendo nenhuma raiz encontrável mas o resultado sintético das pedras de tropeço iniciáticas — no Buraco Quente e chegar até o (lendário boteco) Só Para Quem Pode. Mas os jardins de sendeiros se bifurcam tanto que o "para" de "só para quem pode" comporta ser ao mesmo tempo a preposição e/ou o verbo.

"O escritor, como profissional da linguagem, é um profissional da insegurança" — fulguração de paradoxo feita por Maurice Merleau-Ponty. Não cultuando a neutralidade axiológica ou a ficção da imparcialidade, tentei construir uma quase fábula interpretativa sobre HO, o **KLEEMANÍACO**. Uma revisão e nova fundação de mitos. Realizando assim uma transformação meândrica do postulado de Paul Klee: "atingir o coração das coisas". Se bem que aprendi que a peculiaridade da expressão é ser apenas aproximativa. Por isso valho-me tanto da paráfrase e do recurso paródico. E, mormente, das mesclas estilísticas que se revelaram necessárias para resgatar, mimética e heterodoxamente, o movimento da unicidade vida-obra do Hélio Oiticica. Alternância de mimeses e semioses. Saltar as brechas e preencher os pontinhos inventivos; outras vezes, salientando os pontinhos da intermitência descontínua. (De tanto ver triunfar a ideia de intertextualidade quis fazer um experimento radical: defronte da tela acesa do computador, sentava-me com algum livro previamente selecionado e relacionado mesmo que lateral ou remotamente ao tema, começava a escrever tomando-o como plataforma de lançamento — uma espécie de Cabo Canaveral — seja assimilando-o ou adulterando-o. Tente. Recomendo. Recomendo, principalmente, a adulteração de um texto inicial.) Um dos mais altos cânones paradigmáticos de biografia é considerado *A vida de Samuel Johnson*, de James Boswell, que logo de partida declara: "Seguindo um homem tão eminente do berço ao túmulo, cada minuto particular que possa iluminar o progresso de sua mente é interessante". Esse ideal iluminista é impossível de ser alcançado seguindo nosso vertiginoso bólide HO. Repetição da pergunta de Wyndham Lewis: "Um rei vorticista? Por que não? Por que não? Por que não?".

Em contraponto, fui detectando em mim o desenvolvimento de uma ansiedade superlativa que se revelava através do seguinte sintoma: quanto mais avançava no desenrolamento do tema mais deparava-me distante do atingimento do alvo. Em muitos momentos, tive a sensação de estar perpetrando uma peça de armar de difícil encaixe em que algumas partes estavam buriladas enquanto outras ainda se encontravam em estado de ganga bruta. Mistura de noveletas exemplares e *criticism*, nacos de textos, migalhas da memória, sobejos da mesa, "biografemas". Cúmplice leitor, que este tapete trançado seja para você um tapete voador! *Fiat lux*. Na captura de sinais do elemento Hélio.

UM REI VORTICISTA: O ELEMENTO HÉLIO

Embaixo das evidências mais gritantes dionisíacas, o que primeiro saltava aos olhos no Hélio Oiticica era uma submissão total de todos os outros desejos dispersos a uma vontade tirânica e ordenadora sobre si mesmo. Quando o conheci tive o impacto de presenciar um clássico apolíneo prevendo todos os desdobramentos da sua obra, anotando obsessivamente todo e qualquer detalhe de montagem, escrutinando todos os seus vértices e consequências. O engajamento político do Hélio era anarquista, não partidário, era um envolvimento pessoal de escolhas, uma aversão por palavras de ordem, desconfiança com organizações de esquerda e partidos comunistas; desconfiança e anarquismos transmitidos pelo código genético e herdados do avô anarquista, mentor do grupo Ação Direta, e autor do livro *O anarquismo ao alcance de todos*, e que, ao mesmo tempo, era um professor de gramática da língua portuguesa dos mais severos, um poeta parnasiano. Hélio atribuía ao avô filólogo José Oiticica a sua proficiência linguística: "Devo a ele saber todas as línguas latinas bem. Eu falo bem francês — aliás, o francês eu falo desde os sete anos; eu leio bem o italiano; e eu estudava latim com o meu avô que falava onze línguas", e prosseguia traçando o perfil do avô: "Tinha princípios de comportamentos que, para mim, eram valores que me guiavam, que eu nunca mais esqueci, que meu pai me contou. Certa feita, alguém escolheu meu avô para fazer parte de um júri, que ia julgar alguém, matéria policial. Meu avô não podia se negar a fazer parte do júri senão ia preso. Aí ele chegou lá e disse: Olha, eu vou fazer parte do júri, mas eu aviso de antemão que eu absolverei sempre. Isso é um comportamento que nunca me saiu da cabeça. Mas jamais perdoarei alguém que entrega alguém. Para mim, a pessoa que entrega, dedura ou condena alguém é o crime pior, pior até do que matar alguém" — recorda HO, ladeado pelos amigos Jards Macalé e Luiz Fernando Guimarães, em entrevista a Jary Cardoso, Folhetim da *Folha de S.Paulo* (05/11/1978).

Debruçado sobre a prancheta, HO teatralizava a profissão de fé do pai, José Oiticica Filho, grande fotógrafo avant-garde brasileiro, que sempre dizia:

— Tudo pode ser feito. Não se prenda ao "não pode".

Lição aprendida do pai: o exame vivenciado pela experiência direta é uma didática superior à obediência passiva e cega.

Fugir diante dos "deve-se" imperativos, como o dia diante da noite.

Lição aprendida do pai: atenção perquiritiva, aventura das descobertas. Aliás, o livro *José Oiticica Filho: A ruptura da fotografia nos anos 50* (Edição Funarte, 1983), organizado e apresentado pelo sensível crítico Paulo Herkenhoff, foi um cuidadoso e belo trabalho de resgate de uma obra olvidada. Na introdução desse volume, seu filho Hélio acentua: "O que dá a JOF sua justa medida é a qualidade que tinha de estar sempre, a par de sua inteligência e de sua vitalidade, dons que lhe eram inatos, predisposto à descoberta e à pesquisa, não se contentando nunca com o que já havia concluído". Uma herança vultosa de contradições resulta no Hélio. Seu pai, artista-fotógrafo construtivista José Oiticica Filho, formava ao lado de Geraldo de Barros e Athos Bulcão a tríade da fotoinovação no Brasil. Seguindo a linhagem construtivo-experimental de Rodchenko, Moholy-Nagy e Man Ray, José Oiticica repete as experiências de solarização, os efeitos e enquadramentos estudados. A fotografia para ele não se dava ao natural, dava-se no laboratório.

Com procedimentos químicos, manipulações, estudo e composição do quadro, solarizações, distorções da figura através de vidros, superposições de transparências, artifícios antiveristas. Era um entomólogo estudando minuciosa e experimentalmente borboletas e mariposas. Sua prática da microfotografia ampliada de uma cabeça de gafanhoto, de asas de borboletas, do interior de insetos ou de suas genitálias situa-se na zona de fronteira entre ciência e arte. Antúrios fálicos e gloxínias. Mas Hélio recordava, também, na mesma entrevista a Jary Cardoso, Folhetim da Folha de S.Paulo (5/11/1978), um ponto em comum com o pai: "Uma vez eu escrevi que sou filho do rádio, sabe por quê? A minha primeira infância foi passada toda durante a guerra, quer dizer, eu nem concebia o mundo sem guerra porque a gente ouvia pela BBC, em ondas curtas, até a transmissão das bombas caindo sobre Londres. Agora, a primeira vez que eu comecei a me ligar em Elvis e Little Richard era meu pai que fazia questão de ouvir todo dia Hoje É Dia de Rock, às cinco horas da tarde. Nós moramos nos Estados Unidos entre 1948 e 1950, e depois meu pai tinha obsessão por música americana, sob todos os pontos de vista. Então, na verdade, ele é que descobriu Elvis para mim, porque eu era macaca de auditório, só ouvia Angela Maria, Cauby, o dia inteiro, no máximo volume. De vez em quando eu ia lá no auditório da Rádio Nacional. Sábado à tarde eu ficava trabalhando o dia todo, toda a produção minha dos anos 1950 foi ao som da Rádio Nacional".

Quando José Oiticica ganha a Bolsa Guggenheim em 1948, toda a família vai residir em Washington. Para confirmar a rede de coincidências, Hélio recebe a mesma Bolsa também em 1970. Como coexistem essas qualidades díspares e a pessoa herdeira ainda as leva ao máximo multiplicador? Compreender seu percurso sem destruir a mistura de sua composição, eis a tarefa.

Em **FUTESAMBOL(ÃO)**, 30/11/1970, texto que vi nascendo pois estava morando na casa da família Oiticica na rua Engenheiro Alfredo Duarte, Jardim Botânico, Hélio assim evoca sua infância: "... na Urca quando eu era criança e as tardes de domingo eram o domingo dos *speakers*, drible de palavras, meu irmão a imitar os locutores ídolos, tráfego da bola entupido, Emilinha e Marlene nos auditórios de rádio, as notícias de gols e a gritaria, fogos da copa, as ruas da copa cobertas de confetes que caíam das janelas, dor de barriga de tanto torcer: desfile da vitória: dos campos do mundo, da passarela da avenida, d'avenida; o maior show do mundo? na copa, nos desfiles; colecionar figurinhas, comprar modinha: samba de escola, samba pra pular, marchinha, enredo...".

Mondrian, Paul Klee. "Uma das primeiras lições que aprendi com Klee: nunca tomar decisões, não fazer nada quando você está em crise, você não pode forçar a barra. Quando uma coisa não encontra a solução, eu deixo a coisa de lado, senão não dá. Muitos artistas erram nisso e caem na maior esparrela" — gostava de repetir. Para HO, depois vieram as aulas decisivas de pintura com Ivan Serpa que constituíram um curso livre de soltura e aprendizado da plasticidade de outros meios e materiais. Décadas depois, Hélio em Nova York gestando seu **CONGLOMERADO**, composto de recortes de jornais e citações de livros, afirmava sempre quão fundamentais foram as aulas de Serpa sobre o manejo da tesoura. O garoto de dezesseis anos ficou especialmente impressionado com a liberdade do artista criar pela escolha, disposição e deformação dos materiais. Papelão, grão cru de arroz, cabelo, areia, jornal, grão cru de feijão etc... Processos originados na didática da **BAUHAUS** que detonavam todo e qualquer referencial acadêmico.

Oiticica relembrava essas aulas seminais deitado em seu ninho babilônico da Segunda Avenida, **BABYLONEST**, em muitos aspectos semelhantes ao *Merzbau* que Schwitters foi armando em Hanover.

Paulatinamente Hélio travou conhecimento com a obra do genial bricolista Kurt Schwitters, aquele que juntava tickets de metrô, ingressos de teatros, envelopes, embalagens, artigos de jornais cortados, picotados, rejuntados, dispostos e colados. "Roda de um carro de bebê, grade metálica, barbante ou chumaço de algodão são elementos equivalentes à cor", provocava Schwitters. O escritor norte-americano Paul Bowles, em *Without Stopping*, seu livro de memórias, assim descreve uma visita ao artista Dada: "Fui com Schwitters e seu filho de doze anos ao depósito de lixo da cidade e andamos duas horas por entre os detritos, cinzas e peças refugadas, colecionando material para o *Merzbau*... No ônibus de volta, as pessoas nos olhavam com curiosidade. Schwitters, seu filho e eu carregávamos, cada qual, uma cesta superlotada de sucatas: pedaços de papel e trapos, objetos quebrados de metal, uma gaze de hospital velha e esticada. Tudo isso seria transformado em partes do *Merzbau*. O *Merzbau* era uma casa dentro do apartamento, um museu pessoal no qual tanto os objetos expostos quanto as salas de exibição eram partes inseparáveis de uma mesma obra de arte, pacientemente construída". Schwitters tanto fragmentou e rejuntou imagens e palavras quanto construiu seu lugar de morada a partir de restos: tábuas, sucatas, espelhos, rodas, molas etc. Feita de abismos, pontes, túneis em espirais, casa e atelier, abolição da fronteira entre a arte e a vida, *Merzbau* fascinou o garoto carioca, aprendiz de feiticeiro. Mas também ele cresceu ouvindo um desejo doméstico semelhante, como está descrito em seu Notebook: Nova York — 22 de julho de 1973: "... meu avô tinha um sonho: transformar e morar numa casa que fosse **TEATRO DE PERFORMANCE MUSICAL**: não importa: muita gente já viveu **SONHO-VIDA-TEATRO**, na verdade seria como **CASA-TEATRO**, comunizar palco-plateia-performance no dia a dia: tão distante e tão perto do que eu quero". Alto poder de concentração tal qual uma usina central acumulando energia, Hélio Oiticica soube avaliar suas qualidades e seus defeitos e submetê--los a um desenho principal. Sua grande exposição internacional póstuma que percorreu Europa e Estados Unidos só foi possível devido ao comando absolutista do **HOSTINATO RIGORE**, divisa de Leonardo da Vinci que o comitê central anarquista do Hélio soube incorporar ao próprio caráter. Em **BRASIL-DIARREIA**, 1970, Hélio conciso diz: "... posições radicais não significam posições estéticas, mas posições globais vida-mundo-linguagem-comportamento". Esse traço não despenca nunca a vida inteira, não conhece eclipse até o fim. Plantas, maquetes, textos, anotações, arquivos, conglomerados; tudo comprova o que estou dizendo. Jogo originalíssimo entre o geometrismo mondrianesco e apropriações duchampianas. Multitrilhas da *forma mentis*: Klee e *the waste land* do Caju, Husserl e Nietzsche, Angela Maria e Caetano Veloso, limpeza Malevich e transes excessivos do Carnaval. Mangueira e Rock, Hendrix e Dylan, Stonnemaniac e sambista, Descartes e Rimbaud, delírio e rigor, gozo e revolta, hedonismo e ascetismo, *L'être et le néant* e *TV Guide*, ao mesmo tempo.

Ganhando a Bolsa Guggenheim, HO partiu no final do ano de 1970 para morar em Nova York e lá não queria viver olhando o espelho retrovisor. As capas realizadas ali e vestidas por Omar Salomão (meu irmão caçula), Luiz Fernando e Romero agora são incrustadas nos telhados fuliginosos do Low East Side ou na frente do World Trade Center Building (locação atualíssima para o sousandradino "Inferno de Wall Street") ou em algum píer do rio Hudson. Vibram com o vigor da megalópolis "grande maçã" e não transpiram nenhuma saudade da ambiência do morro. Novos personagens, novas vivências, novos desdobramentos. **PARANGOLÉ** = o corpo esplende como fonte renovável e sustentável de prazer; conceito maleável de extrema adaptabilidade aos lugares mais diferentes entre si. Ou deveria permanecer a capa **PARANGOLÉ** exemplar de um esteticismo *low-tech*, amostra representativa do reino da escassez tal qual uma carapaça fossilizada ou um casulo abandonado pendurado imóvel num museu, relíquia de um sítio arqueológico de um passado enterrado??? Como competirá na era da fibra óptica e do *surfing* nas *high-ways* da internet? Classificado como tecnologicamente incorreto? A resposta estará nos versos de Rumi, poeta-místico-sufi persa do século XIII, que escreveu: "Quando sementes são enterradas na terra escura seus segredos internos transformam-se no jardim florido"???

Suas capas do início dos 1970 em NYC prefiguram as belíssimas criações (*pleats please* = pregas por favor) do extraordinário *fashion-designer* japonês Issey Miyake no início dos 1980. Por óbvias razões, Miyake e equipe capricham mais e fazem um requintado acabamento. Parece a confirmação do equívoco do animador de auditório Chacrinha que, em 1967, anunciou tocando a buzina: "Com vocês, o costureiro Hélio Oiticica!".

A alavanca infatigável ou mola permanente que o impelia sem parar para novas órbitas de experiências fez HO perceber que o **BABYLONEST** (Ninho da Babilônia) da Segunda Avenida constituía uma cidade cosmopolita compacta. *Kindergarten*, playground, laboratório, motel, boca, campus universitário contido em uma cápsula ambiental. O **NINHO** era provido de aparelho de TV e controle remoto zapeando sem parar, jornais, rádios, gravador, fitas cassete, livros, revistas, telefone (o fone não subutilizado como mero meio pragmático mas a conversa-carretilha compulsiva com suas vívidas interjeições parecendo improviso quente de jazz, *talking blues* e rap), câmara fotográfica, projetor de slides, visor, caixas de slides classificados, caixa de lenços de papel, garrafas e copos descartáveis, canudos, pedra de ágata cortada em lâmina etc. etc. **NINHOS** e suas estruturas de arquipélagos: nem inteiriça nem linear nem insular: como uma televisão que transcodificasse o recôndito mais privado da vida privada em janelas abertas para os outros e para o mundo: **MUNDO-ABRIGO**.

Gostava de desempenhar uma função de Bobo da Corte, por considerar que o *clown* era a única figura a que o rei (ou o príncipe ou o nobre) concedia mais liberdade em relação às pompas e circunstâncias rígidas do cerimonial da corte. No seu caso singular, um nobre rigoroso desconstrutor que se concedia ser esculachado e se esculachar.

Um dia, como fizemos dezenas de vezes, andando do Village até o restaurante popular Ásia de Cuba, no Chelsea, coloquei nele o apelido de *Sanitation Machine*, a máquina-vassoura-escovão que varre as ruas de NYC, e ele logo logo adotou ardorosamente o apelido-máscara daí para a frente e sempre que estava viradão, sem dormir, disparava uma chamada telefônica para me berrar as escatologias que sua *Sanitation Machine* tinha aprontado ou estava aprontando. Podendo passar dias e dias sem pisar o pé fora de casa chocando no ninho, entretanto, a rua estava tatuada no seu corpo-alma com uma tão intensa osmose *trashy* que nele se aplicariam, sob medida, as linhas *action poetry* de Frank O'Hara: "I'm becoming/ the street" (Estou me tornando/ a rua).

"Bosta, Get Lost", enviou Hélio um texto assim com este título *sarcáustico* para o marchand Luiz Buarque de Holanda. Que também riu e levou na esportiva.

Nova York representou a descoberta de novas rotações e afinidades eletivas. Afinidade eletiva:

A) com Gertrude Stein, que recuperou os gestos submersos prévios à cobertura semântica, mas, também, pela escolha decisiva do presente contínuo e por seu horror a tudo que cheirasse a museu e mofo; aquela que disse: "Você vê que são as pessoas que geralmente cheiram a museus que são aceitas, e que os novos não são aceitos porque seria necessário aceitar uma diferença completa. É difícil aceitar que é mais fácil ter um pé no passado. Daí por que James Joyce foi aceito e eu não fui. Ele se inclinou em direção ao passado e, no meu trabalho, a novidade e a diferença são fundamentais".

B) com Marshall McLuhan, que recobrou o espaço acústico de nossa totalidade sensorial não num plano localista, nacional ou cultural mas enquanto evocação dum homem supercivilizado e subprimitivo. O tato como jogo entre os sentidos, o ouvido onipresente e o olho movediço. E mais, no plano afetivo, Hélio se tornou amigo e interlocutor do coinventor de *O meio é a mensagem* e *Guerra e paz na aldeia global*, o designer Quentin Fiore, que sabia sorrir da seriosidade pesada dos "sérios". Principalmente HO aprendeu a gravitar como uma tartaruga às avessas: o casco interno e os órgãos externalizados.

C) com Buckminster Fuller, o anarquiteto da cúpula geodésica que não se percebia como coágulo-sujeito substantivado mas sim enquanto movimento-verbo (*I seem to be a verb* = Pareço ser um verbo), manifesta o título do livro de Buck em colaboração com Quentin Fiore.

D) com John Cage por encarar a música enquanto organização de sons ("podemos compor e tocar um quarteto para motor à explosão, vento, batida do coração, e deslizamento de terra"). O processo de compor radical, indo diretamente para o som e suas características, para o seu modo de produção e mudanças na notação. Aliás, a capa do livro *Notations*, de John Cage, delineada por trilhas de cocaína (cor branca) e canudo/canivete (cor prata) é a pedra de toque do **COSMOCOCA CC 4 NOCAGIONS**, *Quasi Cinema* com Neville de Almeida. *Chance operations* (a consulta ao *I-Ching*) e abertura para o reino da indeterminação. "Cage abria elegantemente as janelas da música para a total liberdade da **INVENÇÃO**", diz HO lançando **COSMOCOCA-1973**.

Representou para o Hélio a liberdade de afirmar e reafirmar "O q faço é música" mantendo, simultaneamente, seu ouvido coladinho nas estações de rádio e saracoteando acelerado no gargarejo dos concertos de rock ("experiência coletiva livre") no lendário Fillmore East na Segunda Avenida, a um passo de seu apartamento, ou no Madison Square Garden: "**JIMI HENDRIX, DYLAN** e **STONES** são mais importantes para a compreensão plástica da criação do q qualquer pintor depois de **POLLOCK!**". O que Hélio quer com uma exclamação tão extremada? É anular especulações escolásticas (parecidas com as discussões solenes sobre sexo dos anjos ou quantos anjos dançam na ponta de uma agulha) da relação de seu trabalho com a música de passadas eras e situar o que lhe interessa no recorte exato, excitante, intenso e ruidoso do seu tempo metamorfoseador. Sexos dos anjos? Logo ele que parecia uma figura mercurial saltada da tela de *Criaturas flamejantes* — o emblemático filme underground de Jack Smith, extravagante epistemologia gay, proibido pela Corte Criminal de Nova York como "obsceno", que Hélio assistiu *n* vezes nas sessões secretas piratas. Aliás a *drag-queen* Mário Montez, "atriz" inventada por Jack Smith e Andy Warhol para homenagear o ícone mexicano Maria Montez, Hélio coloca contracenando com o artista plástico brasileiro Antônio Dias e Cristiny Nazareth em **AGRIPINA É ROMA-MANHATTAN**, Super-8, 1972. Logo ele que parecia ter escapado dos rolos e dos fotogramas da Belair Filmes (Julinho Bressane & Rogério Sganzerla) ou de *Mangue-Bangue*, de Neville de Almeida. Logo ele que berrava e se rebolava sobre um salto plataforma prateado, calça de couro preta, blusa preta, óculos escuros e se assemelhava, nessas horas, a uma cobaia submetida ao poder dos versos de "Bitch" (cadela, puta) dos Rolling Stones: "When you call my name I salivate like a Pavlov dog" (Quando você chama meu nome eu salivo como um cão de Pavlov). "Faço música, pois acho que isto está mais perto de música do que de outra coisa qualquer. E não se trata de coisa musical. É música" — esclarece Hélio entrevistado pela artista-amiga Lygia Pape, *Cultura Vozes*, julho 1978.

Sabemos que a linguagem é um vírus, então todas essas contaminações fertilizam seus trabalhos em progresso: **MUNDO-ABRIGO**, **CONGLOMERADOS**, **BLOCK EXPERIMENTS IN COSMOCOCA**, o que denominei em Nova York, 1974, de **TERRITÓRIO RANDÔMIA**, uma terra incógnita atingida pelo cruzamento da refinada aceitação do acaso (*random* em inglês) com a candanga casca grossa depredada Rondônia. Uma atitude cada vez mais solta e livre em relação aos meios de expressão, compreendendo o acaso e o acidental como começo de uma nova ordem. São estruturas tão abertas, includentes e de delicadíssima executabilidade.

Multitrilhas. Multipistas. O amplo leque de materiais que constitui o trabalho de Hélio Oiticica fica evidenciado no excelente balanço realizado por Luciano Figueiredo, curador-mor do Projeto HO, para a revista inglesa *Third Text*: "Metaesquemas, Monocromáticos, Relevos espaciais, Bilaterais, Penetráveis, Bólides, Parangolés, Tropicália, Éden, Ready-Made Landscape, Magic Square, Ready Constructible — trabalhos propostos, construídos e executados por Oiticica com as técnicas e usos de materiais tais como óleo sobre madeira, telas, painéis, vidros, garrafas, caixas, cartões, areia, terra, brita, palha, feno, fotografias, pigmento, plástico, tecidos, conchas, latas, fogo, água, plantas, pássaros vivos, pedaços de mármore, náilon, juta, algodão, jornais, luz, couro, luvas, espelhos, folhas secas, tijolos, livros, telas de náilon, arame, elástico, cocaína, discos, canudos, café, borracha, asfalto, almofadas etc.". Mesmo sendo uma lista extensa e pluridiversificada de materiais, Luciano não pretendeu esgotar todos os elementos observáveis nos trabalhos de HO. Faço de oitiva mais um punhado de acréscimos: palavras escritas, esteiras, cesta cheia de ovos reais perecíveis (ironia **DADA**!), aparelhos de TV, seixos, projetores de slides, bacia, tanque de eternit, gazes, bilhar completo (mesa, tacos, bolas, giz e jogadores reais), headphones, trilha sonora, canivete, nota de dólar, redes, lixas de unha, balões de gás etc.

"A obra nasce de apenas um toque na matéria. Quero que a matéria de que é feita a minha obra permaneça tal como é; o que a transforma em expressão é nada mais que um sopro: sopro interior, de plenitude cósmica. Fora disso não há obra. Basta um toque, nada mais." Este escrito seu, de 6 de setembro de 1960, prefigura a ordem de clareza dançarina. O artista é o ladrão do fogo do sol, Prometeu desacorrentado que arrebata e incorpora o sol (sol

= *hélios* em grego) para inflamar as pessoas, liberá-las de seus condicionamentos opressivos, das "verdades" estabelecidas dos seus chavões e clichês. Um Prometeu reconciliador do Princípio do Desempenho com o Princípio do Prazer, bifronte: um Prometeu/Eros, um Prometeu/Orfeu, um Prometeu/Narciso, um Prometeu/Dionisos. Ladrão do fogo para inflamar o desejo de uma nova ordem das coisas. Penetrar como um fermento, uma levedura de inquietude. Assim Hélio Oiticica compreendia a tarefa do artista: abandonar o trabalho obsoleto do especialista para assumir a função totalizante de experimentador. De novos ambientes e novas formas de comportamentos. Elã global. Ele queria um papel de intenso envolvimento. Envolvimento. Tribalização. Afinal de contas nada impede que os pés calquem de novo o caminho que os habitantes das cavernas abrirem um dia sem tradição. Na bela foto que Bob Wolfenson tirou, Oiticica pouco difere de um homem da era paleolítica exibindo o resultado de sua caça — o troféu de um pedaço de asfalto da avenida Presidente Vargas semelhando o formato da ilha-miolo de Nova York na apropriação mágico-poética intitulada **MANHATTAN BRUTALISTA**. Um fetiche primal. O que está revelado na foto é a coincidência entre desejo e gozo.

"A música tem ficado tão pesada, chegando quase ao estado de insuportável. Quando as coisas ficam muito pesadas, me chame de hélio, o gás mais leve que o homem conhece" — dizia Jimi Hendrix na entrevista que concedeu a Keith Altham, em Londres, constante do livro *Hendrix: A Biography* por Chris Welch, Flash Books, NY, 1973. Ganhei um exemplar de presente remetido pelo Hélio que em um processo de simbiose absoluta colou em si mesmo aquelas palavras como uma ladainha antivudu.

"Call me Helium" (Me chame de Hélio) — pedia Jimi Hendrix, pouco tempo depois da legendária atuação da ilha de Wight e poucas semanas antes de sua morte, referindo-se ao elemento, levíssimo, pertencente à família dos gases nobres, incolor, usado como componente de atmosferas inertes e enchimento de balões. Mas bem que podia ser uma sinopse da impressão de transparência diáfana que o cosmo polifônico do Hélio Oiticica sabe transmitir. Um **ÉDEN** ancorado na Terra, sem traço de "etéreo assento", um banho de infinito nas coisas finitas, a divinização do agora derrotando as essências imutáveis. Eco e reafirmação do Giordano Bruno panteísta: "Nós já estamos portanto no céu". O júbilo do suave manto de plumas que caem "do céu do céu", fragmento final de *Hagoromo*, peça de teatro Nô, e aqui passo a palavra para Haroldo de Campos em depoimento a Lenora de Barros: "Eu me lembro também que, na ocasião, coincidentemente, eu tinha traduzido o fragmento final de *Hagoromo* e usado técnicas de poesia de vanguarda de modo a dar uma disposição visual aos caracteres ideográficos do texto japonês. Esse texto, depois, eu o publiquei no meu livro *A operação do texto*, e dediquei-o ao Hélio Oiticica com a seguinte epígrafe: "para Hélio Oiticica, inventor de *Parangolés*, roteirista de pérgolas aladas". Como no conciso, belo e definitivo *assomo do assombro* do poeta Haroldo de Campos sobre o **PARANGOLÉ**:

ASA-DELTA PARA O ÊXTASE

POLITICAMENTE CORRETO: NOVO QUESITO DA MARQUÊS DE SAPUCAÍ

Na cabeceira de um dos **BABYLONESTS**, **NINHOS** de Nova York inventados por Hélio Oiticica, estavam escritas num pedaço de papel essas linhas copiadas da "Matinée d'ivresse" das *Iluminações* de Arthur Rimbaud: "*Nous avons foi au poison. Nous savons donner notre vie tout entière tous les jours*" (Nós temos fé no veneno. Sabemos entregar nossa vida completamente todos os dias). Um programa estético-comportamental de "desregramento de todos os sentidos", de superposições de identidades e de máscaras. Almejar as tensões disruptivas, querer mudar de pele, vivenciar enquanto corpo o *je est un autre* (eu é um outro) do visionário poeta que quis exorcizar de si o fardo pesado do cabotinismo francês. O conceito inovador de **PENETRÁVEL** — "No **PENETRÁVEL**, decididamente, a relação entre o espectador e a estrutura-cor se dá numa integração completa, pois que virtualmente é ele colocado no centro da mesma" — desdobra-se em um movimento similar: o espanto e desvestimento de um corpo anterior, e a impregnação e incorporação dos códigos e das categorias do outro. Áspera pele da antiarte.

Hélio, usina inaudita de energia, um homem lotado de contradições, milionário de contradições, com um lado bem cerebral e um lado que é instinto puro. Construtivista e brutalista. Carnaválico e matemático. Coexistem resquícios de um romantismo mais radical, extremado até as últimas consequências como a frase-estandarte **SEJA MARGINAL, SEJA HERÓI** que é o pináculo, o ápice desse romantismo desbragado.

Mangueira, celeiro de uma cultura popular densa e organizada em torno da quadra da escola de samba Estação Primeira de Mangueira. Protótipo do morro do Rio, a Mangueira e seus logradouros cantados pelo nosso cancioneiro popular: Pindura Saia, Santo Antônio, Chalé, Olaria, Candelária, Telégrafo, Sossego, Buraco Quente. Para Hélio representou a descoberta do corpo tornado dança e de outros modos de comportamento. Mas ele não prendia seu giro só à Mangueira, sua área compreendia arrepios e rodopios também em outras "jurisdições": Tuiuti, Central do Brasil, praça Mauá, Estácio, São Carlos, Lapa, Cancela, Quinta da Boa Vista e subúrbio em geral. Pontes. Estação de trem zona norte-subúrbio. Reaquisição das cores e encantos do mundo ("Relembro aquele mundo encantado...", fantasia o inesquecível samba-enredo *Monteiro Lobato* de Darci Monteiro, João Batista da Silva e Luiz, 1967). Liambas ou diambas em profusão de flautas e charos. Expansão da consciência. *Carpe diem* frenético que é o sinal indicador *del sentimiento tragico de la vida*. Quadra de ensaio ainda na Companhia de Cerâmica Brasileira de Roberto Paulino antes da construção da sede atual, o Palácio do Samba. Becos, vielas, terrenos baldios, beiras de ribanceiras. As janelas, as portas e as bocas quentes da percepção. Embalos malucos e a predominância da concepção maniqueísta do mundo dividido entre otários e malandros. Mas que hoje podemos compreender sob a ótica do movimento da cidadania como o esboço trágico-dilacerado de uma ponte em direção à área menosprezada do Rio que Zuenir Ventura escrutinou como *Cidade partida* (Companhia das Letras, 1994). Cidades separadas e desiguais dentro da "mesma" cidade. Esquizoides e desiguais saídas: ou suficiência arrogante-paranoica ou se transfundir no outro. Hélio escolheu a via da superação do etnocentrismo. O outro não é uma abstração descarnada, com o qual é imperativa a união para construir uma futura sociedade utópica, como no redentorismo marxista. O outro é um corpo de *carne y hueso* que opera uma transmutação do próprio corpo do Hélio tornando-o sensível ao sensível. Andando pelo mundo em uma peripatética pregnância que cumpria a formulação do devorado Merleau-Ponty de "apagar a linha divisória entre o corpo e o espírito". Tão devorado foi Merleau-Ponty que a frase entre aspas que cito foi retirada da conferência intitulada "O homem e a adversidade", que vai virar húmus significante da capa **PARANGOLÉ "DA ADVERSIDADE VIVEMOS"**, que rodopia e dispara seu feixe de sinais como envelope-emblema do corpo de um morador do morro. A relação do artista-propositor com o participante que veste o **PARANGOLÉ** não é a relação frontal do espectador e do espetáculo, mas como que uma cumplicidade, uma relação oblíqua e clandestina, de peixes do mesmo cardume. Vestido por Mosquito (mascote do **PARANGOLÉ**), Nildo, Jerônimo, Tineca, Robertinho da Mangueira, Santa Tereza, Paulo Ramos, Vera Lúcia, Carlinhos Pandeiro de Ouro, Pedralto da Lacraia, Canhão, Lilico, Nininha Xoxoba. Aliás, que capítulo especial ver Nininha Xoxoba já envelhecida, os calcanhares ralados a caco de telha, girando o **PARANGOLÉ** com o garbo e a majestade de ex-porta-bandeira da escola de samba, e, suas mirongas reavivadoras do jongo, filha que era da grande jongueira Maria Coador e nascida e criada dentro do maior centro de jongo, samba-raiado, samba-duro da Mangueira. O despertar do inconformismo de uma vida tecida de acasos miseráveis e festa que se dobra sobre si mesma e se abre no espaço em torno, se reassume e se expressa. Estandarte antilamúria. Em dois **PARANGOLÉS** exemplares estão impressos noções-alicerces: em um, **ESTOU POSSUÍDO** e noutro, **INCORPORO A REVOLTA**.

PARANGOLÉ, gíria do morro, com uma multiplicidade imensa de significações, variando, dançando conforme os conformes.

"Qual é o parangolé?" era uma expressão muito usada quando cheguei da Bahia para viver no Rio de Janeiro, e significava, entre outros sentidos mais secretos: "O que é que há?", "O que é que está rolando?", "Qual é a parada?" ou "Como vão as coisas?". Somente para marcar a plasticidade dinâmica da língua: alguém indagar "E as coisas?" na gíria carioca de então não significava preocupações físicas, alquímicas ou filosóficas mas muito simplesmente uma interrogação sobre o que hoje atende pela poética alusiva de "fumaça-mãe", "pau-podre", ou seja, designa o mesmo que o étimo oriundo da língua quimbundo dos bantos angolanos: maconha (*Cannabis sativa*). A gíria funciona como meio de driblar a dura realidade, um *nheengatu* (do tupi: "língua boa, língua de índio, língua correta" segundo *Vocabulário tupi-guarani-português* de Silveira Bueno), uma forma de falar a "língua geral" inventando compartimentos, lajes, esconderijos, malas de fundo falso, tabiques, puxadinhos, biombos que não passem pela mediação da sociedade que os acossa. A gíria instalando um ambiente escondidinho--penetrável: é o verbo em ereção, uma tonalidade sugestiva da fala, o léxico ouriçado. O não plenamente articulado nem desarticulado, o não sistêmico: o poder da sugesta. Não sendo de início senão um ser linguístico, hoje em dia o nome **PARANGOLÉ** sumiu da gíria do morro e fixou residência nesses objetos anti-stabiles. Mas algo misterioso de sua vida anterior volátil — um avião, ícaro, ou um óvni qualquer — um feitiço fugaz, uma firula, uma propensão gingada para dribles e embaixadas, aparece, agita e serve como acionador de seus giros. Descoagulação e fluidez de sentido.

    O brutalista **PARANGOLÉ** de HO nasce da constatação da contingência, nada tem de decorativo ou polido. Surge de uma vontade de apreender o sentido bruto do mundo em seu nascedouro. Cumplicidade e simbiose com as agruras e a volta por cima daqueles que na metáfora geométrica constituem a base da pirâmide social. Daqueles que vivem, o mais das vezes, de bicos, de bocas, de expedientes, de subempregos, de camelotagem.

    (O **PARANGOLÉ "ESTOU POSSUÍDO"** — uma capa iniciática? — pode ser encarado como emanação do Exu-moleque chamado carinhosamente de "Seu Malandrinho" que baixa em um terreiro de macumba do morro da Mangueira. "Seu Malandrinho" — Dionisos popular verde-amarelo — é maroto demais, gosta de tomar aguardente direto do gargalo, fumar, beber, jogar e trapacear no jogo, cafungar pó, tomar banho de folhas que evoquem o cheiro das *partes pudendas* e, com seu jeitinho vaselinado, fornicar, fornicar, fornicar etc. etc. etc... No setor etc., então, é que "Seu Malandrinho" excede-se enquanto afirmação da plenitude contraditória do ser. Mocinha, a legendária porta-bandeira da Mangueira, em conversa amistosa comigo, gargalhava dizendo: — Ele gosta de fazer **TUDO**!!!)

Leitor mesmerizado das páginas de Baudelaire, desde tenra idade, HO traçou e retraçou "*Paraísos artificiais* — do vinho ao haxixe, comparados enquanto meios de multiplicação da individualidade" e ali assinalou o trecho seminal: "Eis aqui o homem encarregado de reunir os sobejos de uma jornada da capital. Tudo o que a grande cidade rejeitou, tudo que ela perdeu, tudo que ela desdenhou, tudo que ela quebrou, ele cataloga, ele coleciona. Ele examina os arquivos do deboche, o cafarnaum dos refugos. Ele faz uma triagem, uma escolha inteligente; e guarda, como um avaro um tesouro, os lixos ruminados pela divindade da Indústria...".

Preciosos indícios constituem as fotos que a francesa Desdémone Bardin, dirigida pelo insight do Hélio, tirou de um mendigo estacionado perto do MAM (Museu de Arte Moderna-RJ) e seu envoltório de trapos, tralhas, sacos plásticos, latas, sua parafernália de bugigangas recolhidas da descarga da grande cidade. Dessublimação do canônico e elevação do detrito. Dessa capacidade de atração pelo alheio e abaixo das instituições museológicas, desse observatório de um pária da família humana, o **PARANGOLÉ** parte e se transforma no ícone vorticista-corporal mais poderoso das artes contemporâneas.

Revelou-me Hélio, certa vez, que sem essa imersão na vida

densa comunitária do morro e do samba teria sido para ele quase impossível entender inteiramente o alcance e desdobramentos do "corpo coletivo" que a perpétua ponta de lança Lygia Clark propunha a partir de uma série de experiências com os alunos dela na Sorbonne, Paris. Por seu turno, comentei a confluência dialógica Oiticica-Clark com a própria Lygia Clark para ouvi-la afirmar incisiva que sem esse relacionamento dos dois circuitos tão heterogêneos, a linha dela restaria quebrada.

"Tudo lá no morro é diferente/ Daquela gente não se pode duvidar" — canta a cosmogonia mitologizante do Padeirinho (Osvaldo Vitalino de Oliveira), grande compositor da gema mangueirense. Perambulação prazerosa, errar em todos os sentidos dessa palavra polissêmica, delírio ambulatório. Levado pelo escultor amigo Jackson Ribeiro, Hélio Oiticica intuiu logo que o morro era o diferencial que ele queria após atravessar o deserto do mundo sem objetos de Malevich. "Basta de imagens da realidade, basta de representações figurativas — nada mais que o deserto!" — assim falava o Zaratrusta suprematista russo Kazimir Malevich.

Exposto a tudo, Hélio pretendia suas vivências como especialíssimas, únicas, sem equiparações: o morro era uma invenção mitológica, com seres fabulosos, episódios épicos. Mas na ponta oposta do espectro ideológico de HO encontrava-se a grande poeta norte-americana Elizabeth Bishop vivendo, no Brasil, o grande amor de sua vida com a brasileira Lota de Macedo Soares, que por sua vez era uma das maiores amigas e colaboradoras do implementador da remoção das favelas governador Carlos Lacerda. Entretanto, Bishop escreveu um poema seco-descritivo sobre a perseguição e morte de Micuçu, assaltante-arrombador com apelido de Cobra Venenosa do morro da Babilônia, e hoje podemos tecer uma teia de similitudes entre as invenções de Hélio como **NINHOS** e a **HOMENAGEM A CARA DE CAVALO** e as linhas seguintes para não dizer o inteiro poema de Bishop: *"Building its nests, or houses/ Out of nothing at* *all, or air/ You'd think a breath would end them/ They perch so lightly there* (Construindo seus ninhos, ou casas/ Do nada total, ou do ar/ Você imaginaria que um sopro os destruiria/ Eles pousam tão levemente lá). Uma mesma sonoridade interior vibra nas composições dos dois artistas: o núcleo mais íntimo musical (ninho) da realidade externa visível (barraco). Do espiritual na arte, Kandinsky *dixit*: "Cada arte é capaz de evocar a natureza. Mas não é imitando-a exteriormente que o conseguirá. Tem que transpor as impressões da natureza em sua realidade íntima mais secreta".

Os **NINHOS** de HO não nascem só da ruminação solitária das reflexões de Cassirer, Susanne Langer ou Merleau-Ponty, mas principalmente da perambulação vagabunda. Peripatética pregnância: empírica, experimental, conceitual. O feixe dos sentidos aceso e a apreensão da **GESTALT** imanente para quem sabe bem se impregnar de visões, cheiros e fumaças, tatos e audições. O eu superintelectualizado e burguês tornado vapor, vaporizado. Andar por dentro das arquiteturas e armações populares e gozar. Andar, andar, andar, perder os passos na noite também perdida. Não constituiu o costumeiro procedimento acadêmico de "estudo da comunidade", com o "olhar afastado" de quem não pretende se lambuzar na teia das relações simbólicas, ou, "pior", copular com o mundo. A gazua, ferro curvo ou torto com que se podem abrir fechaduras, foi-lhe sendo revelada através dos papos rolando fora dos eixos da agenda burguesa ou pequeno-burguesa. Intensificação da vida dos nervos e dos neurônios. HO, a marca de um sampleador ambulante, rasgando a cortina do casulo social limitado e descortinando um paideuma marginal alternativo na tela do radar. Há um ditado que reza que "peixe não sabe nada de água" mas HO é um peixe esperto que vê as águas em que está metido, e escreveu "A dança na minha experiência" (12/11/1965): "Antes de mais nada é preciso esclarecer que o meu interesse pela dança, pelo ritmo, no meu caso particular pelo samba, me veio de uma necessidade vital de desintelectualização, de desinibição intelectual, da necessidade de uma livre expressão, já que me sentia ameaçado na minha expressão por uma excessiva intelectualização". No mesmo texto, mais adiante: "A derrubada de preconceitos sociais, das barreiras de grupos, classes etc., seria inevitável e essencial na realização dessa experiência vital".

Ninho e esconderijo são os dois mais frequentes atributos da versão popular carente do "lar, doce lar". Comparece frequentemente na fala cotidiana, no adagiário e na música popular. "Cartola (Angenor de Oliveira) não existiu, foi um sonho que a gente teve" — no dizer Chuang-Tzu de Nelson Sargento ou nas palavras do próprio Hélio que nesse assunto específico é obrigado a repetir um chavão admirativo: "Cartola, o que só fez obras-primas!" — mas, enfim, *Acontece* que o sonho fabricou um verso que diz: "nosso ninho de amor está vazio". E nos confirma. Quem ultrapassa este chão batido e chega ao ápice do ápice é a genial Lygia Clark. Ela foi o trator mais poderoso que HO conheceu pela capacidade de desbravar terra incógnita. Clark formulou uma simbiótica pílula concepcional, uma síntese imbatível dos arquétipos arquitetônicos e corporais: A **CASA É O CORPO/ O CORPO É A CASA**. Extrema radicalidade na terra dos sem-terra. E a rotação cinética do corpo usando **PARANGOLÉ** possui, presentifica e epifaniza essa proposição.

Aliás, voltando ao poema "The Burglar of Babylon" (O assaltante da Babilônia) lá estão referidos também, além do morro da Babilônia do título: a favela da praia do Pinto, Catacumba, Querosene, Esqueleto e Pasmado. Hábil e sensível bricolagem desse poema todo construído com fragmentos de reportagens dos jornais da época. Tal e qual a **HOMENAGEM A CARA DE CAVALO** que é a imantação de um recorte de jornal com a foto do amigo morto de HO, inimigo público número um. Só que o **BÓLIDE-CAIXA 18 "CARA DE CAVALO"** é uma bofetada na cara do gosto público e, por outro lado, uma variação de **TEU AMOR EU GUARDO AQUI** tornada pública. O embrião do que depois HO conceituaria como *Quasi Cinema*, ou seja, o movimento do olho assistindo a um filme, que se *introjeta*, vindo das imagens imóveis justapostas, e que desestabilizam nossa imagem anterior solidificada do mundo. O "filme" se introjeta ao modo do lancinante desejo de Clarice Lispector, moradora do então pacato bairro do Leme, em relação aos tiros que mataram o facínora Mineirinho: "O décimo terceiro tiro me assassina — porque eu sou o outro. Porque eu quero ser o outro".

A **HOMENAGEM A CARA DE CAVALO** é uma caixa preta circundada de quatro fotografias do corpo do fora da lei perfurado por mais de cem balas disparadas pelos "homens de ouro" da Scuderie Le Cocq; um saco plástico contendo pigmento vermelho e o seguinte texto impresso: "Aqui está e aqui ficará. Contemplai o seu silêncio heroico". Feito de oração paradoxal do artista transfixado em *Mater Dolorosa*. Esse trabalho realiza plenamente a potencialidade semântica de bólide que na língua portuguesa significa "bola flamejante", "meteoro incandescente". O ver com os olhos livres do *Manifesto da poesia Pau-Brasil* oswaldiano supõe aqui uma reversão subversiva do pressuposto subjacente à ação dos grupos de extermínio cristalizada na frase do policial Sivuca: "Bandido bom é bandido morto". O concreto mais extremo do corpo do elemento, nascido e criado no Rio de Janeiro, morto na flor da idade dos seus vinte e dois anos, crivado de balas, e o inusitado pedido de contemplação do artista para esse são Sebastião da "galera do mal". Hélio demiurgo faz brilhar para sempre seu amigo apagado. E o bandido pé de chinelo, bandido chinfrim, cafetão pica doce, achacador de ponto de bicho (segundo Octávio Ribeiro, repórter policial expert em "barra pesada" e contaminado pelo niilismo conservador dos porões das delegacias) encontrou um jazigo e se acoitou no mafuá de malungo das artes plásticas brasileiras: a coleção Gilberto Chateaubriand. Se Cara de Cavalo era um bandido mixuruca que por azar do acaso matou o matador Milton Le Cocq de Oliveira, ainda mais gritante fica a matança (ou profilaxia heterodoxa) dos policiais da Scuderie Le Cocq cujo símbolo era uma caveira cruzada por duas tíbias. Uma vendeta corporativa dos homens de ouro que se acreditam acima da lei sobre um qualquer pastel fora da lei. Justiça sumária. Em A *cidade partida*, o Rio-Hong Tupinambá Kong de Zuenir Ventura, lá está: "Le Cocq começou a morrer no dia em que um bicheiro o procurou para pedir providências contra Cara de Cavalo. Ele reclamava de extorsão exagerada. A cena parecia moderna: um contraventor se dirigia a um policial para denunciar um bandido por se apoderar de uma parte de seus negócios clandestinos". O paroxismo doloroso gera **SEJA MARGINAL, SEJA HERÓI** enquanto contra-ataque do "guerrilheiro" solitário em resposta ao slogan divulgado ("bandido bom é bandido morto") e ao justiçamento praticado pela falange exterminadora. Dentro do contexto geral sufocante do Brasil pós-ditadura militar 64, não há mediação nem meio-termo: a heroicização do vitimado indica o grau absoluto da reversão HO como também seu extremo ceticismo em relação ao legalismo caricato-liberal brasileiro de então. Quando executou o cartaz de denúncia das torturas políticas pelo aparelho repressivo policial-militar, para a *Latin American Fair of Opinion*, Nova York (1972), Hélio não nutria grandes esperanças e repetia que a tortura de presos comuns era endêmica e muito difícil de extirpar aqui, pois "o Brasil é um país bem fascista". Acabei de escrever a frase anterior, hoje, domingo, 29 de outubro de 1995, quando chega-me às mãos o novo número da revista *Veja* com a matéria de capa **"TORTURA**, o método brasileiro de investigação policial". Tortura: laivos escravocrata-sádicos — banda sombria — da solar cultura do corpo no Brasil. Hélio: sismógrafo da raça. Em crispada interface com as cobras venenosas. Mesmo que no boletim lhe seja atribuído nota zero na matéria "Politicamente correto".

Nas suas lúcidas-transgressivas palavras sobre a **HOMENAGEM A CARA DE CAVALO**, Hélio demonstrava a capacidade de cruzar zonas de fronteiras inóspitas (ética/estética): "... revelou para mim mais um problema ético do que qualquer coisa relacionada com estética. Eu quis aqui homenagear o que penso que seja a revolta individual social: a dos chamados marginais. Tal ideia é muito perigosa mas algo necessário para mim: existe um contraste, um aspecto ambivalente no comportamento do homem marginalizado: ao lado de uma grande sensibilidade, está um comportamento violento e muitas vezes, em geral, o crime é uma busca desesperada de felicidade. Conheci Cara de Cavalo pessoalmente e posso dizer que era meu amigo, mas para a sociedade ele era um inimigo público número 1, procurado por crimes audaciosos e assaltos — o que me deixava perplexo era o contraste entre o que eu conhecia dele como amigo, alguém com quem eu conversava no contexto cotidiano tal como fazemos com qualquer pessoa, e a imagem feita pela sociedade, ou a maneira como seu comportamento atuava na sociedade e em todo mundo mais... Esta homenagem é uma atitude anárquica contra todos os tipos de forças armadas: polícia, Exército etc. Eu faço poemas-protesto (em Capas e Caixas) que têm mais um sentido social, mas este para Cara de Cavalo reflete um importante momento ético, decisivo para mim, pois que reflete uma revolta individual contra cada tipo de condicionamento social. Em outras palavras: violência é justificada como sentido de revolta, mas nunca como o de opressão".

Nos bancos da escola em Washington, HO aprendeu e decorou o preâmbulo da Declaração de Independência Americana que postula "... essas coisas que consideramos evidentes... a vida, a liberdade e a busca da felicidade". Encontramos no texto de Oiticica reproduzido acima uma paráfrase entortada e detonadora que diz "o crime é uma busca desesperada de felicidade". Foi decorado nos bancos da escola de Washington mas retorna em nova e virulenta clave. Clave que desarranja a pauta média da moral cidadã pois é um surto da defesa do indefensável. A terra treme e eis que aparece e vibra a contingência. Como o tom trágico do monólogo de Corisco (Othon Bastos) em *Deus e o diabo na terra do sol*, a obra espermática de Glauber Rocha. Ou na assombrosa entrevista "Grande Sertão-Veredas" que Zuenir Ventura e Caio Ferraz fizeram com Flávio Negão, chefe do tráfico de drogas em Vigário Geral. "A vida que a gente leva é barro duro" — as palavras de Flávio Negão, mais que pela constatação dos solecismos, valem pela afloração do **TRÁGICO**. Carioca e filho de cariocas, sua fala parece rebrotada de um cabra do cangaço capaz de adaptar para as armas atuais (Ar-15, M-16, M-14 etc.) os versos shakespearianos feitos por Virgulino Ferreira, o Lampião: "enquanto meu rifle trabalha,/ minha voz longe se espalha/ zombando do próprio horror".

O "Politicamente correto" será introduzido como novo quesito no julgamento da Marquês de Sapucaí?

Ao homenagear o amigo, HO quis cometer um crime de lesa-majestade das belas consciências burguesas liberais. E dividir irremediavelmente as águas. Como Jean-Paul Sartre em seu extraordinário, nuançado e complexo catatau "Santo Genet, comediante e mártir" sobre Jean Genet, o ladrão-pederasta: "Compreender verdadeiramente a desgraça de Genet seria renunciar ao maniqueísmo, à ideia cômoda do Mal, ao orgulho de ser honesto, revogar o julgamento da comunidade, cassar sua sentença... Mas compreender a desgraça de um jovem ladrão seria admitir que eu posso roubar, por meu turno".

Hélio híbrido, impuro, escolado na escola da barra-pesada, comete um crime premeditado em seus mínimos detalhes.

Oiticica visitava perigosamente seus amigos fora da lei nos mais recônditos esconderijos. Antro, miolo da boca, covil, cafua, era com ele mesmo. Preservado no Projeto HO existe um guia todo desenhado e escrito por Hélio em código cifrado. Constitui um documento criptográfico de como chegar a um esconderijo de um determinado alguém foragido e perseguido pelas forças policiais.

Era sua forma peculiar de ser movido pelo kandiskiano princípio da necessidade interior. Que assim trilhava sua marca registrada ao modo de *Take a walk on the wild side*, aliás sendo esta a canção de Lou Reed com a qual ele mais se identificava. Em 1978, Hélio legislava sua peculiar forma de "desobediência civil": "Sempre gostei do que é proibido, da vida da malandragem que representa a aventura, das pessoas que vivem de forma intensa e imediata porque correm riscos. Grande parte de minha vida passei visitando meus amigos na prisão".

Experiência exclusiva de um mundo de coisas fervilhantes: aí está o **DIFERENCIAL HO**! Enquanto isso é quase inimaginável supor Miss Bishop pousando os pés em área barra-pesada de favela depois dos logradouros aprazíveis lá para as bandas da Fazenda Samambaia (Petrópolis) ou da barroca Pouso do Chico Rei, de Lili Correia de Araújo, e audição das conversas paroquiais sob sua janela de Ouro Preto. Nem estou exigindo nem ela precisava, pois sobre a poesia de Elizabeth Bishop disse João Cabral que "sabia conservar... o aço do peixe inaugural". No meio do referido poema neutro-descritivo encontram-se duas das mais belas linhas escritas por Bishop e que nos aparecem como nítida assimilação dos estilemas e das lentes de João Cabral, de quem, é notório, ela traduziu para o inglês alguma pouca poesia:

> *The yellow sun was ugly,*
> *Like a raw egg on a plate*
> (O sol amarelo era feio,
> Como um ovo cru em uma chapa)

ROMÂNTICO-RADICAL

José Oiticica Filho e Dona Angela saíram tranquilamente para passar uma semana e meia em Minas Gerais. Os três filhos, Hélio, César e Cláudio, estavam em período de férias escolares mas por essa ou aquela razão quiseram permanecer no Rio de Janeiro. Hélio, o mais velho dos três, convoca os outros dois e a empregada e propõe a troca do dia pela noite. Quer dizer: de dia dormir como se fosse noite, de noite todas as atividades diurnas. Acabar de uma vez por todas com essas convenções bobas quando de noite, com a temperatura mais amena, é muito melhor fazer tudo que se gosta. Pintar, martelar, serrotear, ouvir rádio no volume máximo, cantar e dançar. Cozinhar, lavar roupa, arrumar a casa. Os dois irmãos e a empregada aderiram entusiasmados ao plano de tomar os céus de assalto. Tudo corria às mil maravilhas, exceto a incompatibilidade com o mundo externo. Queixas e mais queixas. Quando o padeiro e o açougueiro batiam na porta para fazer as costumeiras entregas matinais, eram severamente repreendidos. Os vizinhos começaram a estranhar tanta zoada noturna incomodando o bom e merecido repouso dos moradores da tranquila rua Alfredo Chaves, Humaitá, perto do Largo dos Leões, de casas geminadas. Parecia que tinham instalado uma marcenaria--ateliê-boate-lavanderia-restaurante, tudo junto, uma barulheira infernal noite adentro. Um carteiro foi entregar uma encomenda registrada remetida pelo Fotocineclube Bandeirante de São Paulo para o sócio José Oiticica Filho às 10h30 da manhã e sofreu a maior descompostura: "Fora daqui! Onde já se viu entregar encomenda uma hora dessas". A modista-costureira ficou ressentida meses a fio com o tratamento recebido somente por ter querido entregar os vestidos novos de Dona Angela ainda com a luz do dia. À meia-noite e quarenta e cinco, a empregada interrompia o namoro porque tinha que tirar "o almoço dos meninos". Durou pouco o novo regime *Zero de conduite* e foi logo sufocado com o retorno afobado do *ancien régime* dos pais, mas ficou na lembrança como novela exemplar acerca do gás subversivo de Hélio Oiticica. Vontade ciclópica para moldar e remoldar o mundo.

Em meu texto "Praia da Tropicália", incluído no volume intitulado *Armarinho de miudezas* — editado pela Fundação Casa de Jorge Amado (1993) —, assinalo o signo romântico radical de **SEJA MARGINAL, SEJA HERÓI**. Quer dizer não são traços, não são tinturas, agora, olhe bem, é extremado mas nunca é completo, essa é a grandeza do Hélio, é sempre tenso, ele não é um cara ingênuo. Não é romântico como uma canção popular vulgar, cafona, como, por exemplo, "Sentimental demais" (melíflua, açucarada e sem tensões). Qualquer trabalho do Oiticica é tenso e sempre com muitas camadas espessas, muitos níveis superpostos de sinais. Romântico radical como expressão da tentativa de superar a clivagem sujeito-objeto, o abismo entre as vivências intensas e o mundo coagulado do estereótipo.

Hoje quem vai a um ensaio na quadra de samba nem sente necessidade de aprender, nem sente vergonha por não saber sambar. Ele teve um mestre, Miro, maior passista da época, que lhe deu aulas particulares e lhe ensinou todos os passos mais acrobáticos. Até o raro e difícil passo chamado *parafuso*, que atualmente ninguém mais pratica. Com entrar em *parafuso*, o corpo solta-se do solo, gira no ar sobre si mesmo e toca o chão de novo num ritmo frenético. Mas as vivências transbordaram além do nível médio de mero aluno aplicado. Hélio virou passista da ala "Vê se entende". O aluno Hélio e o mestre Miro viraram uma dobradinha tão importante e reverteram a relação em uma inédita dobra do mesmo tecido e inesperadas dobras-dobradinhas surgiram e novas relações de amizade-parceria foram se estabelecendo em uma velocidade estonteante que efetivaram um processo de mudança equivalente ao que representou "a dobradiça (invenção revolucionária) que junta dois planos" para os Bichos da Lygia Clark, segundo Mário Pedrosa em "Significação de Lygia Clark" (1963). Dobradinhas e dobradiças transformaram radicalmente o panorama e o panorama das artes brasileiras. A liberdade resulta do encontro da fome com a vontade de comer, é uma junção do exterior com o interior. Assumindo resolutamente o que lhe caiu no colo pelo acaso de um convite da dupla Jackson Ribeiro-Amilcar de Castro para vir se juntar à equipe e terminar a encomenda de pintar alegorias para o desfile de Carnaval da escola de samba Estação Primeira de Mangueira, Hélio aproveitou a ocasião para se liberar de suas âncoras. Para ele foi uma mudança de pele, uma transvaloração radical. No desfile das escolas de samba, Hélio, como era um passista muito bom, tinha um trio — Trio do Embalo Maluco — com Nildo e um cara chamado Santa Teresa. E, mais tarde, defende com ardor as cores da sua escola querida em **FUTESAMBOL(ÃO)**, 30/11/1970: "... há gente tão boba que acha verde-rosa uma combinação feia: são burros, coitados, pois além de passista sou pintor, e ninguém vai me dar aulas sobre cor... mas me sentia tão glorioso e pensava: estou no chão da Mangueira".

O corpo bamba tornado ginga sutil, a perna veloz para dar pinote, o tremelique na hora de expor o revertério. Ritmo das pernas ágeis que parecem comemorar eternamente a glória de dançar. "... Adoro qualquer samba: Sal, Portela, Império, escolas segundo e terceiro, blocos: a paixão do samba é igual à do futebol..." O neto do professor severo da língua portuguesa passa a amar a gíria enquanto tição alusivo porque desvela uma potencialidade viva de uma cultura subterrânea e daí nasce o conceito **PARANGOLÉ**. A apropriação da usual lata de fogo nas sinalizações das estradas que se transforma no **BÓLIDE-LATA** (1966). O exercício experimental da liberdade do surreal-trotskista e crítico de arte Mário Pedrosa é a base para a perambulação vagabunda que resulta no programa similar de experimentar o experimental. Hélio O. tinha aprendido bem que a ação política revolucionária, como o trabalho do artista, é uma intencionalidade que gera suas próprias ferramentas e meios de expressão. Claro que isso sempre esteve acompanhado de muito fumo e mais tarde de muito pó. É mesmo que ver o Hélio vivo exclamando: — E daí? E daí? *And so what? And so what?* Quanta gente ficou empapuçada, *stonned*, e nada resultou disso? Para ele não, para ele foi um veículo propulsor, impulsionador, um *propeller*, que ajudou a viagem a ir mais além, a ruptura a ser maior!, o conhecimento e invenções de novas situações. Merleau-Ponty lampeja: "Se Leonardo se distingue de uma das inumeráveis vítimas da infância infeliz, não é porque tenha um pé no além, é porque conseguiu fazer de tudo o que viveu um meio de interpretar o mundo — não é que não tivesse corpo nem visão, é que sua situação corporal ou vital foi constituída por ele em linguagem".

Entretanto, é fácil e conservador dizer "romantismo" pura e simplesmente e descartar o contexto da época. **SEJA MARGINAL, SEJA HERÓI** se reveste de um caráter épico. Não era um romantismo inofensivo porque tinha uma agressividade política oposta aos esquadrões da morte. Com a malandragem do morro, HO aprendeu o valor da ambiguidade sinuosa. Nada pode ser julgado de uma forma maniqueísta, preto no branco. Justamente. Hélio Oiticica em **BRASIL-DIARREIA** falou e disse: "É preciso entender que uma posição crítica implica inevitáveis ambivalências: estar apto a julgar, julgar-se, optar, criar, é estar aberto às ambivalências, já que valores absolutos tendem a castrar quaisquer dessas liberdades; direi mesmo: pensar em termos absolutos é cair em erro constantemente — envelhecer fatalmente; conduzir-se a uma posição conservadora (conformismos, paternalismos etc.); o que não significa que não se deva optar com firmeza: a dificuldade de uma opção forte é sempre a de assumir as ambivalências e destrinchar pedaço por pedaço cada problema. Assumir ambivalências não significa aceitar conformisticamente todo esse estado de coisas; ao contrário, aspira-se então a colocá-lo em questão. Eis a questão". Por exemplo, Maria Helena, ex-passista da Mangueira, foi mulher de bandido, do Mineirinho, depois ela se tornou mulher do cara que matou Mineirinho, Euclides, um dos homens de ouro dos grupos de extermínio. Sobre Maria Helena, Hélio repetia dezenas de vezes, incontido:

— Maria Helena, ninguém samba como você!

Não era um romantismo decorativo dizer **SEJA MARGINAL, SEJA HERÓI**; tinha um tremendo potencial ofensivo no Brasil sob ditadura militar. Ácido corrosivo. O uso desse estandarte bem depois em 1968 num show da Sucata por Caetano e Gil ofendeu severamente o ufanismo nacionalista de direita e aparecia como uma das causas da prisão da dupla tropicalista no final do mesmo ano após a edição do AI-5. Romantismo paralelo ao romantismo do Che Guevara que, por sinal, aparece numa capa **PARANGOLÉ, "GUEVALUTA"**, homenagem a José Celso Martinez Corrêa. Crime premeditado contra os voyeurs das artes. Mas para que usar a expressão romântico radical quando compreendemos que **SEJA MARGINAL, SEJA HERÓI** acelerou o desmonte da ideologia caricato-liberal?

Recorto de uma carta do Hélio para Lygia Clark, morando em Paris, datada de 15/10/1968: "Enquanto isso as confusões continuam: é um inferno viver aqui, estou cheio! Agora, enquanto escrevo esta carta, estamos no dia 17, explodiu novo escândalo: resolveram interditar o show que Caetano, Gil e Os Mutantes (geniais) estavam fazendo na Sucata, por causa daquela minha bandeira

SEJA MARGINAL, SEJA HERÓI que o David Zingg resolveu colocar no cenário perto da bateria no show: um imbecil do DOPS interditou e Caetano, no meio do show, ao cantar 'É proibido proibir', interrompeu para relatar o fato, no que foi aplaudido pelas pessoas que lotavam a boate".

Hoje em dia ir a uma escola de samba não constitui nenhuma aventura excepcional. É uma *safe adventure*. Um pacote convencional igual aos oferecidos por qualquer agência de turismo para Disneyworld. Ou percorrer Epcot Center, essa receita fantástica para fazer ovos mexidos de nações e noções. Repito: nenhuma pele etnocêntrica é tirada. Repito: Hélio quando foi ser passista aprendeu todos os passos básicos do samba como, nos dias de hoje, ninguém que vai por lá sente sequer a necessidade de aprender. Sinhô, o Rei do Samba (José Barbosa da Silva), cantava que "A malandragem é um curso primário... É o arranco da prática da vida".

No parágrafo anterior, usei o termo inapropriado "hoje". As pessoas vão a um ensaio de escola de samba passar o tempo, ter um divertimento. Nada errado com elas nem existe nenhuma obrigatoriedade de experimentarem algo mais salgado ou arriscado.

Mas para ele era um rito de iniciação **IN ILLO TEMPORE**, quer dizer, em um tempo mítico. O Hélio quando foi para Mangueira vivenciou a barra-pesada num processo de ruptura e recusa do mundo burguês que o formou e rodeava. Não foi uma **FAVELA TOUR**. Foi um aprendizado gozoso e doloroso. Cair de boca no mundo. Cannabilidinar. Uma reivindicação feroz de singularidade lúcida, tensa, extremada contra a regra geral média e morna. Encantamento e vertigem. Marginalibidocannabianismo. Mais um trecho esclarecedor da mesma carta, de 15/10/1968, para Lygia Clark: "... hoje sou marginal ao marginal, não marginal aspirando à pequena burguesia ou ao conformismo, o que acontece com a maioria, mas marginal mesmo: à margem de tudo, o que me dá surpreendentemente liberdade de ação — e para isso preciso ser apenas eu mesmo, segundo meu princípio de prazer...". Como se dá em quase todos os "ritos de passagem" ou de iniciação que estão centrados numa ritualização da morte e da ressurreição, ele se desvestiu do lado otário e aprendeu os passos do samba, fez os batismos da malandragem, curtia com tudo que era bambambã. O homem se despe e recomeça. Assim podemos entender, por exemplo, a aura de sagrado, de fulgurações hagiográficas em que HO envolve seus amigos; "facínoras" para o público. Um desejo fabuloso, desvairado e exasperado. Depois, em 14 de novembro de 1969, montando seus ambientes na Universidade de Sussex, Inglaterra, ele, *à la recherche du temps perdu*, faz uma bela evocação: "... não sei se é a maciez da pele ou a atração pela sombra, pelo baixo da ponte ou o mato onde posso jogar meu baseado, se quiser: sempre amei a sombra e sempre adorei fazer o que ninguém aprova...". Para HO não foi um passatempo, foi penetrar, como o comediante-mártir são Jean Genet, no universo do irremediável. Foi detonar as pontes de retorno. Quando certos críticos resistem ao Hélio Oiticica (ou a Lygia Clark), não os considero errados: eles estão certos pois manifestam claramente o instinto do medíocre contra os raros. Eles preferem a volta disso ou a volta daquilo e, principalmente, pintores que pintam o *fauve* desbotado, requentado frio! *Tant pis*...

Toda suprasensorialidade está relacionada com a *Cannabis sativa*. Quanta gente fuma maconha, cheira pó e não produz nada! Acho que não se pode ter dedos moralistas com isso, é uma descoberta. O que me interessa no HO com relação à droga é que sempre escancara para novas percepções, novas dimensões, novas estruturações.

ARMOU O MAIOR BARRACO NO MAM!!!

"Carcará", a canção de João do Vale, cujos versos cordel-épicos descreviam "um pássaro malvado/ com um bico volteado/ que nem gavião", a princípio na voz doce-estilo-novo de Nara Leão e, depois, na garganta rascante-metálica e na interpretação impactante da adolescente de dezessete anos Maria Bethânia, transformou-se numa velocidade estonteante em hino galvanizador do protesto contra a "gloriosa" ditadura militar. O carcará nordestino da família dos falconídeos virou símile do monstro bíblico (Livro de Jó) Leviatã e do totalitarismo de direita. O show do Teatro Opinião era o emblema rubro da coragem de toda a classe artística contra a censura. Mário Pedrosa expressou com justeza: "Pode-se dizer que o grupo de Teatro de Arena, com sua *Opinião*, foi o grande respiradouro dos cidadãos abafados pelo clima de terror e de opressão cultural do regime militar implantado em 1964 e definido moral, política e culturalmente pelas incursões de uma entidade anônima e irresponsável dita linha dura".

No ano seguinte, os jovens artistas plásticos fazem a exposição Opinião 65 idealizada pelo marchand Jean Boghici com a colaboração da crítica de arte Ceres Franco, residente na França. Pretendiam explorar uma nova imagem, uma tendência figurativa que era o *dernier cri*. E Jean Boghici, autor da ideia da mostra, reuniu os artistas brasileiros aos que Ceres, xará da deusa latina da agricultura, juntou numa colheita de artistas de Paris ou ali sediados. Era uma ousadia pois a Bienal de São Paulo já sofria as tesouradas da censura militar. O artista plástico Carlos Vergara revela a chave do título: "Opinião 65 era uma atitude política enquanto atitude artística. A ideia básica era opinar... e opinar tanto sobre arte quanto sobre política". A ocupação do espaço do MAM fazia parte da estratégia dos aguerridos e viscerais Antônio Dias, Vergara, Rubens Gerchman, entre outros. Os títulos dos quadros eram provocativos: *A patronesse e mais uma campanha paliativa* e *O general*, de Vergara; *Vencedor?*, de Antônio Dias; *Palmeiras x Flamengo, Carnet Fartura* e *Miss Brasil*, de Gerchman. Como bem definia Antônio Dias: "Me recuso a sucumbir. Sendo muito claro — a luta me interessa como posição de vida. Não arrisco quantias e sim o tempo de viver... O artista é uma espécie de consciência pênsil entre o indivíduo e o coletivo". Rubens Gerchman propunha e realizava: "Quadros de grande objetividade, clareza, rapidez ótica".

Tudo corria às mil maravilhas na inauguração da mostra do Museu de Arte Moderna (MAM). Nenhum penetra nem ninguém desalinhado. Convite, terno e gravata eram obrigatórios. Mulheres emperiquitadas com seus cabelos-esculturas de laquê. Esculturas que levariam o Tunga, artista da geração posterior, ao delírio. Ameno vernissage de obras corrosivas, o protocolo sendo cumprido à risca. "Exposição de ruptura... estética cômoda... tradição plástica caduca... socialização da obra de arte", tais figuras incendiárias extraídas da apresentação de Ceres Franco restariam como retórica selvagem (*fauve*) de um salão civilizado da Rive Gauche. Mas de repente, não mais que de repente, o algo mais aconteceu. Aviso é que não faltou, cinco dias antes da inauguração da mostra, a sagaz crítica de arte Esther Emilio Carlos fez uma premonição no *Diário de Notícias*: "Por que o MAM não se lembrou de apresentar Hélio Oiticica numa individual, usando no mínimo duas salas para poder expor dignamente sua obra? O **PARANGOLÉ** será sem dúvida alguma prejudicado na mostra coletiva Opinião 65 e principalmente no dia da inauguração". Um segredo estava sendo gestado e um passarinho soprou no ouvido da Esther Emilio, homenageada por HO em Mitos Vadios, São Paulo, 1978. A peruca feminina que ele usava, nessa performance desvairada, pertencia à coleção particular da crítica de arte-amiga. A linha entre ironia e simpatia é tênue, nessa homenagem é evidente que existe uma ironia, evidente que existe uma simpatia.

O "amigo da onça" apareceu para bagunçar o coreto: Hélio Oiticica, sôfrego e ágil, com sua legião de hunos. Ele estava programado mas não daquela forma bárbara que chegou, trazendo não apenas seus **PARANGOLÉS**, mas conduzindo um cortejo que mais parecia uma congada feérica com suas tendas, estandartes e capas. Que falta de boas maneiras! Os passistas da escola de samba Mangueira, Mosquito (mascote do **PARANGOLÉ**), Miro, Tineca, Rose, o pessoal da ala Vê Se Entende, todos gozando para valer o apronto que promoviam, gente inesperada e sem convite, sem terno e sem gravata, sem lenço nem documentos, olhos esbugalhados e prazerosos, entrando pelo MAM adentro. Uma evidente atividade de subversão de valores e comportamentos. Barrados no baile. Impedidos de entrar. Hélio, bravo no revertério, disparava seu fornido arsenal de palavrões:

— Merda! Otários! Racismo! Crioulo não entra nesta porra! Etc. etc. etc.

Rubens Gerchman em depoimento à equipe do crítico de arte Frederico Morais declara sua perplexidade e adesão: "Foi a primeira vez que o povo entrou no museu. Ninguém sabia se o Oiticica era gênio ou louco e, de repente, eu o vi e fiquei maravilhado". Hélio expulso e, também, todo seu pessoal do samba. E o **PARANGOLÉ** rolou nos jardins externos do Museu arrastando a massa *gingante* que antes se acotovelava contemplativa diante dos quadros. E os jovens artistas, Gerchman, Vergara e Dias, foram na frente. Os três depois fizeram trabalhos em polinização cruzada com o Hélio em diferentes fases e momentos.

Que poder simbólico inesperado: o fechado vernissage burguês que se escancarou em hasteamento inaugural da bandeira do **PARANGOLÉ**! Fincar uma bandeira cinética por entre os pilotis projetados pelo arquiteto Afonso Eduardo Reidy para o MAM. Cartograficamente à margem do salão de exposição. Os jardins de Burle Marx com seus agaves fálicos e suas babosas exalavam contentamento que se misturavam na brisa ao "Chanel número 5" e ao suor do samba. Era o otimismo vitorioso da ideia de participação do espectador. O desembarque dos bichos da Arca de Noé! Um bailado dramático representando o retorno ritual do recalcado "Manifesto antropófago": a felicidade guerreira "contra a realidade social, vestida e opressora, cadastrada por Freud...".

Fala *Man*-gueira, fala! Os paletós e as gravatas antiecológicos transformaram-se em alegorias carnavalizadas! E as esculturas de laquê viraram perucas de Maria Antonieta.

— Aquela ali não é a Josephine Baker?

— Não, sua burra tapada, é a Tineca!

Leques, abanicos, mesuras, sai do armário aquela coreografia decorada do balé de Balanchine, o esqueleto balança no *tap dancing* dos musicais da Metro, salamaleques. Como era uma época de proliferação de cursos de leitura dinâmica (leia tantas páginas em *x* segundos, tantos livros em *y* minutos), então foi um tal de aprendizado instantâneo, de leitura dinâmica de mestre-sala, passista, destaque e porta-bandeira. Intensivo. Jogo rápido.

— *C'est magnifique*! — exclamavam as madames e se esbaldavam repetindo assim as sensações da fotógrafa francesa Desdémone Bardin, que desde 1964 registrava os **PARANGOLÉS** que nossos Otelos de favela vestiam. Encantadora gramática tosca! Que enormes e gostosos solecismos! O Rio de Janeiro reencarnava a trepidante cidade-luz.

É um episódio precoce de uma problemática que ocupa, agora, exatas três décadas depois, no final do século XX, o centro das discussões internacionais sobre artes plásticas que se pode resumir no axioma: o museu não está em crise, o museu é uma crise. Hélio e suas criações demonstravam-se ossos duros de roer em relação ao museu. Museu, tradicional máquina de quebrar asperezas, de cooptação, de abrandamento, de recuperação. Vitrine das máscaras esvaídas de suas potências mágicas. Em clara oposição a essa estratégia mumificadora, HO formulava no seu "Programa Ambiental" de julho 1966: "Museu é o mundo; é a experiência cotidiana". Afirmação do peso da "vivência" e das máscaras plenas de suas potências cinéticas na balança da lição das coisas.

O mais explícito emblema atual dessa situação conflituosa crítica é a construção do Museu de Artes Contemporâneas no tortuoso e sujo bairro de Raval, habitado pelo lumpemproletariado de Barcelona. Construído em uma engenhosa mistura de imaculados planos brancos e límpidas paredes de vidros, esse Museu de Barcelona permanece vazio de qualquer obra de arte como se fosse uma demonstração proposital — de visibilidade inegável — do impasse da instituição museológica. Um museu pronto e acabado sem uma única obra nas suas paredes e levantando sérias suspeitas de representar uma armação imobiliária para "nobilitar" a área. Sem cair no cômodo descarte do museu e almejando uma práxis de séria discussão do seu papel, Manuel Borja-Villel, diretor da Fundación Antoní Tàpies, da mesma cidade de Barcelona, realizou recentemente um simpósio e uma exposição intitulados Eis Limits del Museu (Os Limites do Museu).

A crítica de arte nova-iorquina Eleanor Heartney — em um escrito com o título sintomático "O Museu: Luzes acesas, ninguém em casa?" — assim descreveu em *Art in America*, setembro 1995: "... no painel, todos partilharam uma visão sombria do museu enquanto estrutura autoritária responsável por calamidades tais como distorção histórica, perpetuação do pensamento colonial, o reforço de iniquidades socioeconômicas e o que foi qualificado (um pouco melodramaticamente) a morte do objeto". O museu questionado como mero gabinete de curiosidades que transforma objetos vivos em artefatos mortos. Felizmente, conclui Eleanor Heartney: "A exposição paralela, entretanto, parecia abrir espaço para a esperança. Como participantes ativos do sistema cultural, os artistas ofereciam uma concepção mais porosa do poder do museu".

Poucas vezes vi uma defesa pública da loucura como a que vi no MAM do RJ em 1968. Como o provérbio do Blake: "A estrada do excesso conduz ao palácio da sabedoria". Era uma mesa de debates intitulada Loucura e Cultura onde estavam o Hélio, Rogério Duarte, Caetano Veloso, o mediador Frederico Morais, Lygia Pape, Luiz Carlos Saldanha, Nuno Veloso (amigo do líder da insurreição estudantil de 1968 na Alemanha, Rudi Dutschke, e mangueirense que morava com Cartola), Rubens Gerchman e outras pessoas. O artista plástico Antônio Manuel fez um filme posteriormente e usou a trilha sonora desse debate. Ali o Hélio fez uma relação de analogia entre Cristo nos Evangelhos, o trecho que fala assim — "Tomai o meu pão e comei, é o meu corpo; tomai o meu vinho e bebei, é o meu sangue" — ele fez uma analogia entre as palavras de Cristo e o ácido lisérgico (LSD), ele disse ao público que nenhuma imagem é mais lisérgica que aquela do Evangelho. HO selava a época com a marca-d'água lisérgica do guru Timothy Leary e da canção "Lucy in the Sky with Diamonds" dos Beatles. Provocou o maior efeito enfurecedor na plateia, afinal de contas somos um país catolicão, ele falava do ácido como se estivesse dizendo a coisa mais banal, mais comum tipo previsão de tempo, uma voz bem tranquila, ele nem estava dizendo para agredir. Era somente uma constatação "corriqueira". Era um tom genuinamente evangélico de provocar escândalo. O Evangelho do ano de 1968: a sexualidade polimórfica, Eros versus Thanatos, o homem multidimensional de *Eros e civilização* de Marcuse, a revolta dos *Condenados da terra* de Frantz Fanon, incorporação antropofágica, a palavra de ordem do maio francês *Soyons réalistes demandons l'impossible*, a proposta de "derrubada de todo condicionamento". A ideia da participação do espectador agora entrava em sua fase crepuscular. O que era conquista há três anos, agora revelava a banda podre da fruta. A agressividade da plateia bem nutrida resultado de uma maçaroca mental — misto de auto de fé do catolicismo medieval e marxismo stalinista — e, principalmente, apontava para um vértice sombrio e destrutivo da participação do espectador: a vontade que o reprimido ("quadrado" era a expressão usada na época) tem de castigar o liberado.

(Morando com Dedé e Caetano em São Paulo, segundo semestre 1968, presenciei meses depois a culminância canibal desse processo no quase linchamento de Caetano pela esquerda estudantil paulista no Tuca durante a apresentação da música "É proibido proibir". Copresenciaram, também, como minoritária torcida pró, Lygia e Augusto de Campos — autor do poema visual **VIVA A VAIA** —, Péricles Cavalcanti, Rosa Dias, Dedé Gadelha Veloso e Sandra Gadelha. Aliás, Lygia Clark, que estava vivendo em Paris, usava a designação *HeliCaetaGério* para marcar o *ethos* tribal de camaradagem, a grande simbiose dos três, Hélio, Caetano e Rogério Duarte, nessa época. A foto de Marisa Alves Lima na revista *O Cruzeiro*: Caetano vestindo **PARANGOLÉ** vermelho nas pedras do Arpoador (1968). Oiticica também fez um **PARANGOLÉ** especial para homenagear Caetano com o nome que pode parecer estrambótico **CAETELES VELASIA** mas que é uma disposição anagramática do nome completo do homenageado — Caetano Emanuel Vianna Telles Velloso. Em Londres, na grande exposição da Whitechapel, 1969, inaugurada durante o período em que Caetano e Gil, depois de presos pelo regime militar, eram confinados na Bahia, os visitantes ao entrarem em uma tenda colocavam headphones e ouviam as músicas dos dois grandes artistas brasileiros. Uma homenagem-protesto.)

"Tomai o meu pão e comei, é o meu corpo; tomai o meu vinho e bebei, é o meu sangue. E uma loucura: nada mais lisérgico do que estas imagens! Quem tomou ácido sabe do que estou falando!" — uivava Hélio Oiticica.

A verdade é que caía como um excesso ofensivo, mas o tom do Hélio era como se ele estivesse dizendo a coisa mais comum, agora os "fariseus" tomavam aquilo como um aríete, como se um vaso de guerra penetrasse atirando na Baía de Guanabara e assestasse suas baterias para o próprio MAM, onde ele tinha montado um ano antes a **TROPICÁLIA**. Acredito que esse debate é que inspirou uma filmagem louca, em 1970, bem underground, num momento em que Rogério Duarte estava fronteiriço, assim quase num surto esquizofrênico, e vislumbrou o Hélio como Cristo. Hélio estava com aquele cabelão, e Rogério Duarte inventou um **EVANG'HÉLIO**. Que era o HO construindo a sua própria cruz; em oposição ao crucifixo com materiais nobres, a cruz do HO era com materiais triviais concretos de qualquer marcenaria ou canteiro de obras atual. O sacralizador presente na escolha temática e na projeção crística sobre o "herege". Eu era o ajudante do Hélio na fabricação filmada da cruz.

(Não por acaso, Rogério cunhou um espetáculo intitulado *Panegírico da piração*, discurso brasileiro ao modo de Erasmo de Rotterdam em louvor da loucura.)

Mas o choque do Hélio Oiticica com a boçalidade museológica não acabou nem com a sua morte física. Por exemplo, Hélio Oiticica foi colocado numa posição intencionalmente desprestigiosa na última Bienal de São Paulo (1994), num dos piores lugares, ou seja, explícita e sintomaticamente perto da saída de serviço do Pavilhão Ibirapuera. Os **PARANGOLÉS** confinados a um cubículo. A parte considerada "nobre", ou seja, o núcleo histórico, ficava no terceiro andar erigido num verdadeiro panteão onde jaziam, lado a lado, Mira Schendel, Mondrian, Rufino Tamayo, Diego Rivera e Malevich. Na abertura da Bienal, ao ver que Hélio Oiticica e Lygia Clark eram tratados como escória, Luciano Figueiredo resolveu, num gesto arrojado de sublevação do passivo espaço museológico, levar os passistas e ritmistas de samba vestidos de **PARANGOLÉ** a visitarem todos os artistas e, principalmente, Malevich. Na sala do último aconteceu um episódio paradigmático na hora H da inauguração, registrado e fotografado pelo *Jornal do Brasil*: o curador Wim Beeren, um tipo de holandês que possui inscrito em seu código genético a noção de apartheid, de dedo em riste, berrava assustado com o crioléu gingando sob o comando do veterano parangolista Paulo Ramos:

— *Get out! Get out! Get out!*

Ou seja, traduzindo:

— Fora! Fora! Fora!

Vermelho, possesso, a cabeça aterrorizada por todos os clichês dos selvagens canibais africanos de Hollywood, o batavo Wim Beeren usava a voz como chicote nos lombos dos zulus, apoplético na direção da assanhada e pirracenta Nenete (Lisonete Freitas de Almeida):

— *Get out! Get out! Get out!*

Ou seja, tradução rebarbativa:

— Fora! Fora! Fora!

Temor e tremor, suor frio, olhos esbugalhados, Wim Beeren açoitava Ronaldo "Negro do Burrão":

— *Get out! Get out! Get out!*

Ou seja, traduzindo o esporro:

— Fora! Fora! Fora!

Wim Beeren praticou essa ressurgência colonialista dos bôeres na pauliceia desvairada, uma agressão do pânico racista sobre brasileiros em território brasileiro. Erigindo uma paliçada, uma zona de limpeza étnica, uma versão fascista-arianizante do "Branco sobre o Branco", Wim Beeren querendo botar os negros no tronco do pelourinho, dedo em riste no focinho do mais que doce Paulo Roberto Santana:

— *Get out! Get out! Get out!*

Ou seja, reitero a tradução:

— Fora! Fora! Fora!

Para a importante revista inglesa *Third Text* (que aliás publicou com destaque a foto do Wim Beeren versus Parangolistas), assim resumiu com agudeza crítica, no artigo intitulado "The Other Malady", o artista plástico brasileiro Luciano Figueiredo: "Entre outras coisas, os trabalhos de Oiticica demonstram a transformação da 'ideia de arte moderna europeia pela visão de indivíduos que são considerados ainda como pertencentes à assim chamada periferia'. Os curadores de museus e historiadores da arte deveriam estar menos envolvidos em modas acadêmicas (que começam e terminam na retórica profissional de simpósios, palestras, conferências, mesas-redondas e painéis de discussão), e deveriam olhar mais acuradamente para os mapas da diversidade, colonialismo cultural, multiculturalismo, pluralismo como condição excêntrica das obras de arte que não giram na esfera da arte categorizada".

SUPRASENSORIAL

HO soube metamorfosear o mundo dado em sistema significante e chumbar a ordem da vivência com a ordem da expressão.

Ultrapassamento do quadro que já tinha sido alcançado desde os **BILATERAIS** (1959) e **RELEVOS ESPACIAIS** (1960). "De modo que pintura e escultura, para mim, são duas coisas que acabaram mesmo, não é nem dizer que eu parei de pintar... não foi isso, eu acabei com a pintura, é totalmente diferente..." — frisa Hélio Oiticica em *Patrulhas ideológicas*, livro de entrevistas organizado por Carlos Alberto M. Pereira e Heloisa Buarque de Hollanda, editora Brasiliense, 1980. Além da pintura. Pois o que ele inventa não cabe mais nos limites de quadro, moldura, parede ou base. Mas transportando os elementos do visível (cores, luzes, sombras, reflexos, espelhamentos) e inter-relacionando-os com o feixe total dos sentidos. Invenção de ambiente plurissensorial, ou seja, o surgimento do reino do **SUPRASENSORIAL**. Microcosmo poético. Olfático/tátil/sonoro/visual. Similar ao Baudelaire sinestésico de *Correspondance* que diz: "*Les parfums, les couleurs et les sons se répondent*" (Os perfumes, as cores e os sons se respondem).

Antifolclorização, Hélio tira o que é essencial, as estruturas do barraco são transformadas criativamente na sua prancheta, transformam-se nos barracões tanto de **TROPICÁLIA** quanto nas experiências sensoriais todas. Dos seus cadernos nova-iorquinos de 1973: "... o q me atraía então era a não divisão do **BARRACÃO** na formalidade da **CASA** mas a ligação orgânica entre as diversas partes funcionais no espaço interno-externo do mesmo". Como bem sabe desdobrar conceitualmente suas próprias ambientações, escreve Hélio Oiticica, 04/03/1968: "O *Penetrável* principal que compõe o projeto ambiental foi a minha máxima experiência com as imagens, uma espécie de campo experimental com as imagens. Para isso criei como que um cenário tropical com plantas, araras, areia, pedrinhas... Ao entrar no *Penetrável* principal, após passar por diversas experiências táteis-sensoriais abertas ao participador que cria aí o seu sentido imagético através delas, chega-se ao final do labirinto, escuro, onde um receptador de TV está em permanente funcionamento: é a imagem que devora então o participador, pois é ela mais ativa que o seu criar sensorial. Aliás esse penetrável deu-me permanente sensação de estar sendo devorado... — é a meu ver a obra mais antropofágica da arte brasileira".

TROPICÁLIA não é um efeito passivo-naturalista de suas andanças, nem o natural em si, mas um ambiente construído. Havia em HO sempre uma busca e uma questão do espaço. **TROPICÁLIA** é uma maneira inventada pelo Hélio de projetar à sua frente o mundo percebido, não é o decalque da vivência arrefecida; é uma sintética pílula concepcional. No mesmo texto de 04/03/1968, HO diz: "Propositadamente quis eu, desde a designação criada por mim de Tropicália (devo informar que a designação foi criada por mim, muito antes de outras que sobrevieram, até se tornar a moda atual) até os seus mínimos elementos, acentuar essa nova linguagem com elementos brasileiros, numa tentativa ambiciosíssima de criar uma linguagem nossa, característica, que fizesse frente à imagética Pop e Op, internacionais, na qual mergulhavam boa parte de nossos artistas". Hélio afirma com firmeza a paternidade da sua designação, entretanto o Projeto HO informa que, já nos anos 1990, quando a empresa Danone lançou uma linha de novos sabores de iogurte chamada **TROPICÁLIA**, procedeu uma busca no Instituto de Patentes e descobriu que a palavra Tropicália não pertencia à herança do seu inventor mas sim à multinacional **POLYGRAM**! Ora vejam só! "Quem já viu uma coisa destas!"— exclamaria HO, justamente, estarrecido.

TROPICÁLIA = nascimento da imagem de uma nação: "na verdade quis eu com a **TROPICÁLIA** criar o 'mito da miscigenação' — somos negros, índios, brancos, tudo ao mesmo tempo...". Quebra decisiva da ideia de "bom gosto" e a "descoberta de elementos criativos nas coisas consideradas cafonas".

TROPICÁLIA tem um nível de imersão num mundo homólogo, paralelo ao mundo das favelas, por um lado; mas não é um convite a uma imersão rebaixada a este mundo, não são oferecidas caipiríssimas, não há o banquete rebaixador que seria a feijoada com caipirinha, ao contrário, é como se fosse um filtro de ascensão sensorial porque você é obrigado a tirar seus sapatos porque você é levado a se limpar do entulho do lixo que ofusca sua sensibilidade. O que é que a bebida provoca? Uma certa turbação dos sentidos, da mesma forma o cotidiano e o lugar-comum, da vida comum, da sensibilidade cotidiana, por sua dissimulação no claro-escuro da opinião e da vida corriqueiras, então ao contrário, na obra de HO, não é uma coisa simplória, não é um romantismo simplório, é muito mais confuso porque tem diferentes níveis. Você penetra num cotidiano desoprimido e livre de turvação. Tem sempre essa atitude de tirar os sapatos para sentir brita, pedra, no espaço onde aquilo é construído. Um filtro sensorial que questiona e corrói o exótico enquanto estereótipo. Não é uma orgia de feijoada com caipirinha, o Brasil-diarreia que ele tanto criticava. Não é um espaço submisso ao empírico. É como se fosse a quintessência alquímica do Rio e do Brasil.

Há um esforço de depuração análogo ao de Kazimir Malevich suprematista do branco sobre o branco. Assim falava Malevich:

"A arte chega a um deserto onde a única coisa reconhecível é a sensibilidade. Tudo o que determinou a estrutura representativa da vida e da arte: ideias, noções, imagens... tudo isso foi rejeitado pelo artista, para se voltar somente para a sensibilidade pura". Superação da representação do objeto, soberania da sensação direta. Você vai limpando, limpando, limpando a tela da sensibilidade de todas as excrescências. Não por um ideal ascético mas por um Eros mais pleno.

Em "Aparecimento do suprasensorial na arte brasileira" (nov.-dez. 1967) assim Oiticica fala: "São dirigidas aos sentidos, para através deles, da percepção total, levar o indivíduo a uma suprassensação, ao dilatamento de suas capacidades sensoriais habituais, para a descoberta do seu centro criativo interior, da sua espontaneidade expressiva adormecida, condicionada ao cotidiano". Para você sentir água, sentir o pé na brita, cheiro de folhas, cheiro de café. Algumas pessoas olhavam **OLFÁTICO** e desconsideravam-no como um objeto menor, queriam mudar o nome, não existe esta palavra "olfático" no dicionário, mas compreendi que era anterior ao dicionário, era a sensação em estado prévio, inaugural. O **OLFÁTICO** é simplesmente isto: Hélio acopla um aspirador a um saco com café dentro para você sentir brutalmente, como se fosse Adão, pela primeira vez, a sensibilidade direta colada com o cheiro, o cheiro desimpregnado da trivialidade cotidiana e impregnando você pela intensidade bruta. No gesto simples de cheirar o café há um traço de pecado porque lembra cafungar cocaína. Hélio desejou erradicar esse traço de pecado. Baudelaire diz que a ideia de paraíso mais que a iluminação a gás ou outro qualquer sinal de progresso seria apagar os traços do pecado original. Charles Baudelaire, *Mon coeur mis à nu*, edição Bibliothèque de La Plêiade, página 697: "Teoria da civilização verdadeira. Ela não está no gás, nem no vapor, nem nas mesas giratórias, ela está na diminuição dos traços do pecado original". O **ÉDEN**-Oiticica é oposto à tradição judaico-cristã, não é um **ÉDEN** que precede a queda, o **ÉDEN HO** é o que redime da queda. Redimir-se da queda não pelo mecanismo culposo da labuta alienada — ganhar o pão suado — mas através de uma atitude erótica não repressiva em relação à realidade.

Quando abandonou o emprego, mecânico e rotineiro, de telegrafista da Radiobrás, Hélio passou por uma grande crise. Mas acreditou que tendo deixado de ser usado como instrumento de trabalho, o corpo seria ressexualizado. Diz um **NÃO** ao fosso que separa satisfação libidinal e esfera do trabalho alienado em que a individualidade não pode constituir um valor e um fim em si. A necessidade de trabalho árduo encarado como sintoma neurótico. Utopia do trabalho como livre jogo, trabalho-prazer fundidos e confundidos. Carta esclarecedora, de 15/10/1968, para Lygia Clark: "Lygia, vou relatar um grupo de acontecimentos e experiências aqui, sucintamente, que me transformaram muito nesses últimos meses e que, de certo modo, 'fundi a cuca'. Não sei bem quando tudo começou a ferver: creio que foi em abril — minha amizade com Rogério (Duarte) foi decisiva para nós dois, e tinha que dar resultados: Rogério estruturou muito do que pensava e eu consegui me lançar menos timidamente numa série de experiências realmente vitais: larguei aquela bosta de emprego, único laço real que possuía com a sociedade 'normal' que é a nossa; entrei em crise que me foi ultraprodutiva — de certo modo descobri que não existe só eu mas muitas pessoas inteligentes que pensam e fazem, que querem comunicar, construir. Isso foi bom para quebrar o cerco burguês ou pequeno-burguês em que me encontrava não por mim, mas por uma série de condicionamentos: agora, lendo *Eros e civilização* de Marcuse, vejo que tinha razão (aliás você deve ler isso pois tem muito a ver com seu pensamento — no princípio fica-se um pouco desconcertado, mas é bom)".

ÉDEN HO é como se fosse assim: vivemos aqui, vivemos no mundo terrenal, o **ÉDEN** seria a vida daqui no ápice, em sua plenitude, sem os traços da repressão; o gozo, a fruição, o lazer não repressivo. O visitante tira os sapatos e as meias e anda descalço sobre a grande área de areia do "campus experimental", penetra na água da tenda *Yemanjá*, estira-se em uma barraca *Lololiana* com o chão forrado de enormes folhas secas, deita langorosamente em uma cabine que filtra uma luz com gradações transparentes através do vermelho e recende um olor tropical, ou apanha gravetos, palhas, materiais diversos para fazer seu próprio "ninho" em um compartimento individual *Cannabiana* junto a outros compartimentos, "... onde se deita como se à espera do sol interno, do lazer não repressivo". Um mundo criado com a intenção de descartar seu componente alienado-repressivo. André Gide em seu *Tratado de Narciso* escreveu que "*Le paradis est toujours à refaire*", ou seja, que "O paraíso sempre está por recriar". Hélio Oiticica disse: "Habitar um recinto é mais do que estar nele, é crescer com ele, é dar significação à casca-ovo". Um **ÉDEN** posterior a uma queda, um **ÉDEN** ascensional. A queda já aconteceu e você, por um esforço intencional-construtivo, aspira ao paraíso. Um paraíso constituído ostensivamente de objetos terrenais, acessíveis ao tato, palpáveis, cheirosos. Um paraíso imanente onde as coisas aparecem desimpregnadas de qualquer aura etérea. Sem nada de espectral ou de promessas além-tumba. **ÉDEN** não é evocação de um mundo "futuro" possível mas presentificação de um filtro perceptivo do mundo existente "não como fuga mas como ápice dos desejos humanos". **ÉDEN** nasce de uma interpretação extremada, uma interpretação nada moderada, de *Eros e civilização*, de Herbert Marcuse, livro que lhe foi apresentado por Rogério Duarte e decupado em dezenas e dezenas de conversas entusiasmadas pela noite adentro.

ÉDEN constava da grande exposição, 1969, da londrina Galeria Whitechapel. Caso pensasse sua arte como alpinismo social-econômico, Hélio teria capitalizado seu estrondoso sucesso para dali administrar uma grande carreira internacional. É o trivial corriqueiro mas acontece que sua atitude construtivista-transgressiva não era um verniz sobre a superfície. Assim, **SEJA MARGINAL, SEJA HERÓI** é autorreferente e fala da resistência heroica (ou "bandida", conforme o vértice que se veja) do artista frente ao mundinho cooptador dos marchands, curadores, galerias e museus. Mantenha a mesma pose muito tempo e ela se torna postura, mantenha a mesma postura bastante tempo e ela virará posteridade. Em cima dele nunca colou a célebre *painted word* em que ao artista só cabe cumprir a encomenda conforme as balizas e receituários da moda. Arte-*delicatessen*, arte-guloseimas.

Oiticica (do tupi "oiti resinoso") é Janos, um dos antigos deuses romanos representado por dois rostos opostos, bifronte até na origem do sobrenome pois designa dois tipos de árvores: 1) árvore da família das rosáceas (*Licania rigida*) que produz um óleo secativo muito útil; 2) árvore da família das moráceas (*Clarisia racemosa*) que produz madeira de boa qualidade, sobretudo para fazer canoas; quer dizer bálsamo ou veículo, índice de um ultrapassamento do ser humano partido/dividido e convite para viagem.

Os versos famosos de *As flores do mal* nos dão a impressão de Baudelaire, sem *spleen* e participando interativamente, tê-los escrito após atravessar o **ÉDEN HO** remontado em Paris, durante a excursão da retrospectiva internacional que ocupou a inteira Galerie Nationale du Jeu de Paume, de 10 de junho a 23 de agosto de 1992:

> Là, *tout nest qu'ordre et beauté,*
> *Luxe, calme et volupté.*
> (Ali, tudo não é senão ordem e beleza,
> Luxo, calma e volúpia.)

Herbert Marcuse assim falava: "Talvez seja este o único contexto em que a palavra 'ordem' perde a sua conotação repressiva: aqui, é a ordem de gratificação que Eros, livre, cria".

APOCALIPOPÓTESE

Assisti, em julho de 1968, à manifestação coletiva intitulada Arte no Aterro, financiada pelo jornal *Diário de Notícias*, que nas palavras do seu planejador, o crítico de arte Frederico Morais: "... consistiu em acontecimentos simultâneos, gerados por obras de vários artistas, sem qualquer lógica explícita, senão a participação geral do público".

Nas conversas que precederam o evento coletivo, na casa efervescente do Hélio ("enfim, parecia mais um Vietnã do que uma casa, isto aqui" — bradava o próprio dono do pedaço), o *xamã* Rogério Duarte destacou-se pelas brilhantes intervenções, principalmente, a invenção do conceito **APOCALIPOPÓTESE** como desvio de uma matriz conceitual quase senso comum — obrigatória participação do espectador —, transformando-a em uma *hipótese*, aproximando-a mais da estrutura do *jogo*, afastando-a da rigidez do imperativo categórico. Eugen Fink, discípulo de Husserl, em seu notável livro *O jogo como símbolo do mundo*, assim postula: "Podemos dizer de todo jogo que ele é a plenitude da vida sobre o plano do prazer, que ele é uma maneira alada de viver sua vida... Jogar é parafrasear, sob o jugo da ilusão, a autorrealização do homem... o não sério do jogo consiste precisamente em imitar de múltiplas maneiras o sério da vida... O jogo repete o 'sério da vida' sobre o teatro da irrealidade, mas retirando todos os seus fardos, ele eleva a vida feita de obrigações, por assim dizer, no éter ligeiro, aéreo do não obrigatório". Diferente, portanto, da ordem de tirar a bun-

Hélio Oiticica desfila na Mangueira no Carnaval.
Data exata desconhecida, por volta de 1965-6.

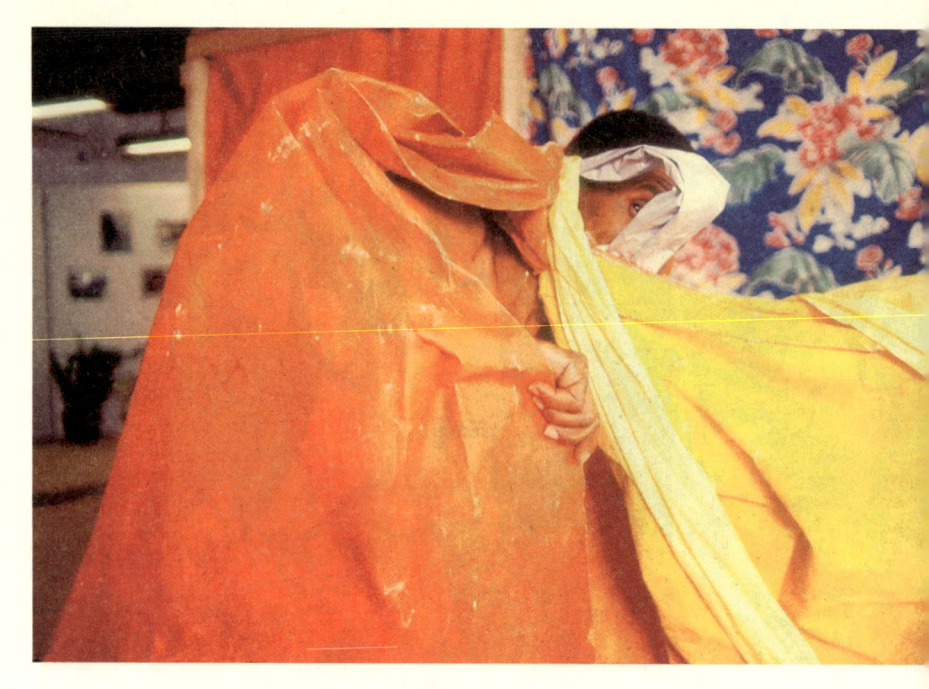

Nildo com Parangolé P4 Capa 1 (1964). Universidade Estadual do Rio de Janeiro, 1990.

Mosquito com Parangolé P10 Capa 6 (1965) e Bólide B17 Vidro 5 "Mondrian", (1965).

Hélio Oiticica no evento Mitos Vadios, performance Delirium ambulatorium, *1978.*

Inauguração Parangolé. Exposição "Opinião 65", Museu de Arte Moderna do Rio de Janeiro, 1965.

Romero com Parangolé P32 Capa 25, 1974.

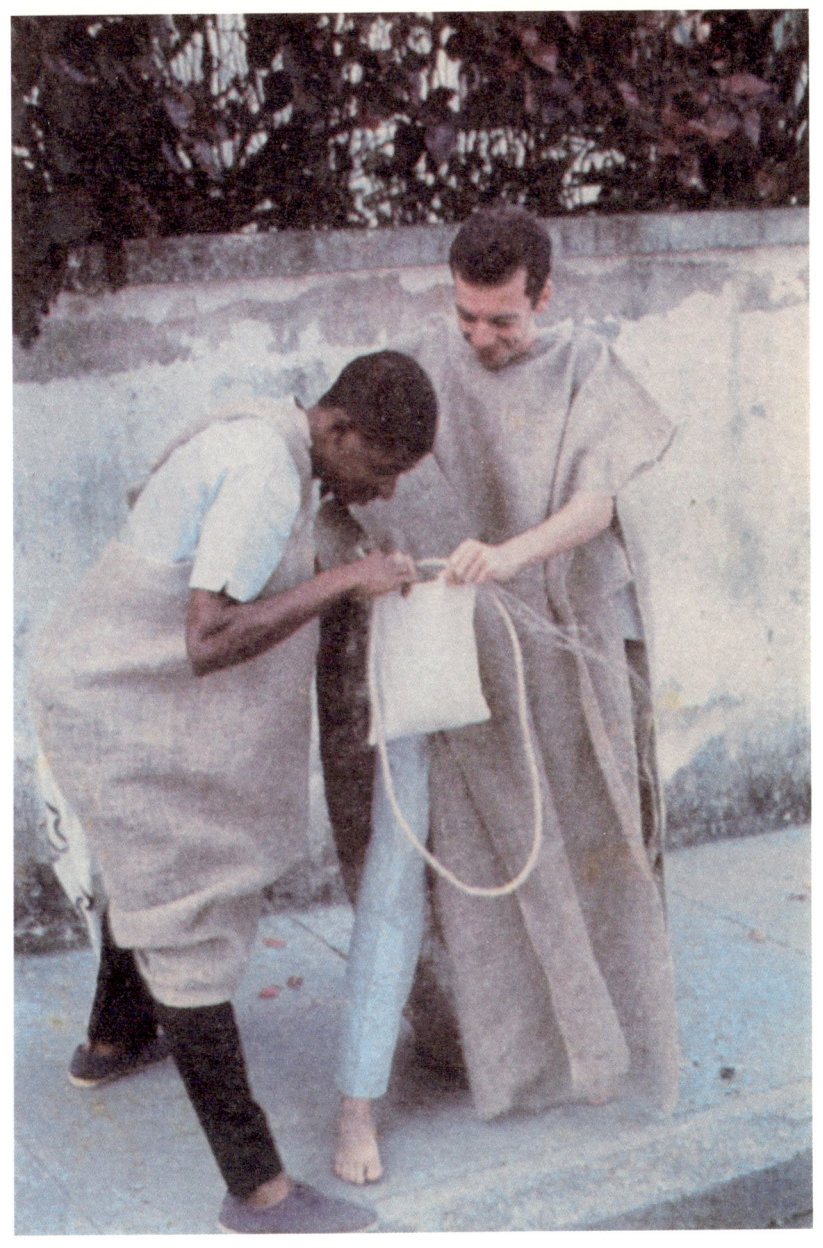

Nildo da Mangueira e Hélio Oiticica com Parangolé P18 Capa 14, "Estamos famintos" (1967).

Hélio com Bólide B8 Vidro 2, 1963-4.

Hélio com Bólide B8 Vidro 2, 1963-4.

Bólide Área "Água", no evento Orgramurbana, 1970.

Bólide B6 Caixa 6, 1963-4.

Hélio com Bólide 9, 1964.

sozinho
na mata ele vive
sozinho
da mata ele come
na mata
da mata
ele morre
sozinho
é mata
é mato ELE VIVE!

Tropicália, Penetráveis PN2/PN3 (1967), UERJ, 1990.

Contra Bólide Devolver a Terra à Terra, Hélio com Jorge Salomão,
evento Kleemania, Rio de Janeiro, 1979.

Contra Bólide Devolver a Terra à Terra, evento Kleemania, Rio de Janeiro, 1979.

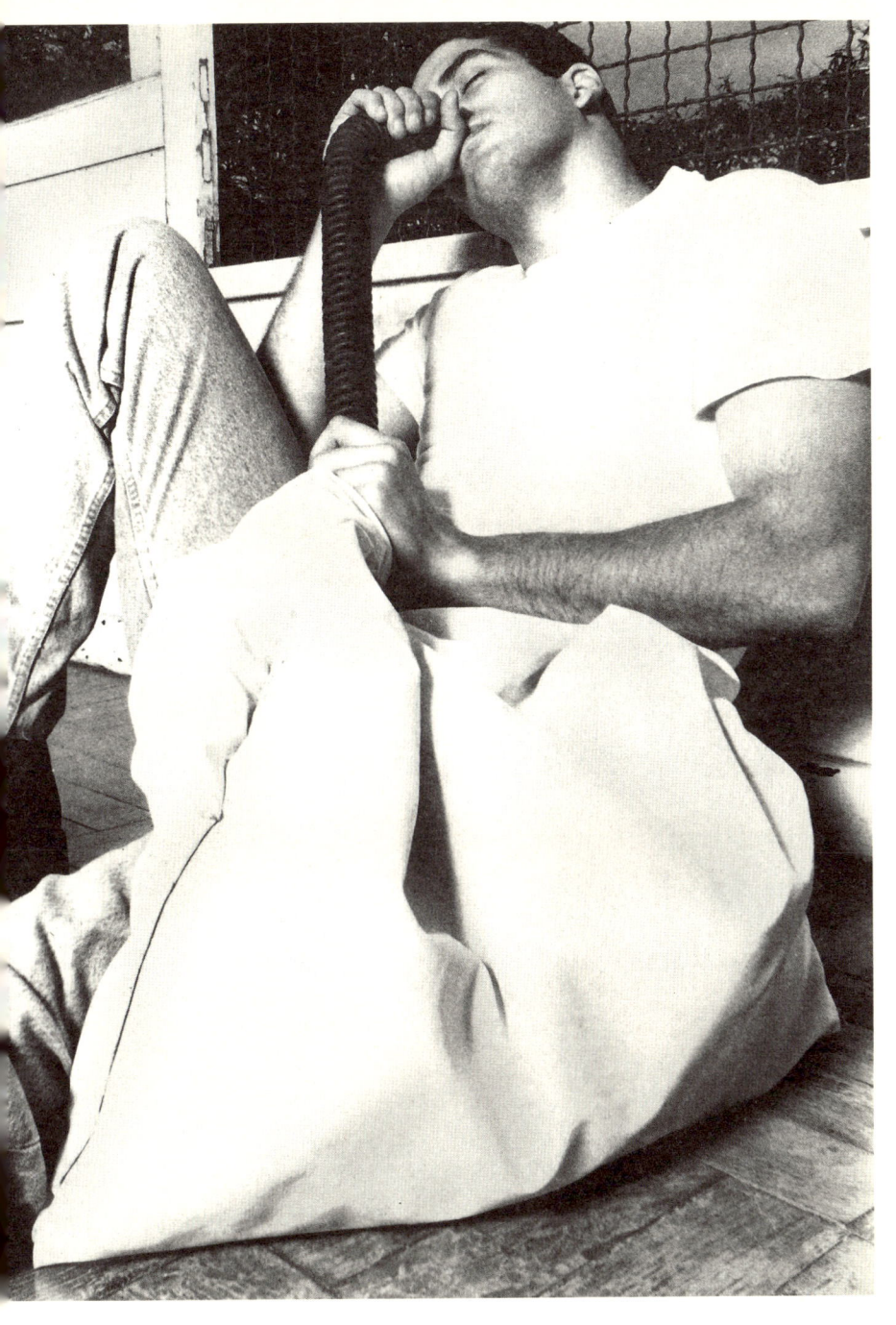

Bólide Saco 2, Olfático, 1967.

Bólide B47 Caixa 22, "Mergulho do Corpo", 1966.

Bólide Cama 1 (1968). Fundació Antonio Tàpies, Barcelona, 1992.

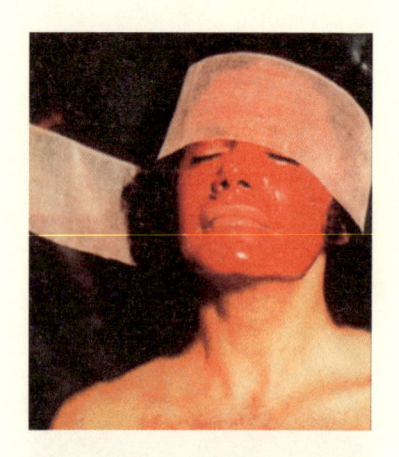

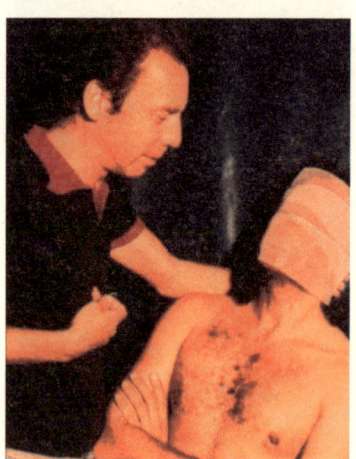

Hélio Oiticica realiza em Waly Salomão sua obra Somethin'fa the head 2 *ou* Parangolé de cabeça *(1974) para o filme* HO, *de Ivan Cardoso, em 1976.*

da da cadeira da "guerrilha" teatral. Ressaltando o caráter lúdico, livre, hipotético, da participação do espectador, era demarcado e imantado um território livre em visível contraste com o quadro geral opressivo da ditadura militar.

Frederico Morais narra: "Em **APOCALIPOPÓTESE** havia um clima ao mesmo tempo alegre e tenso, de comunhão e violência. Enquanto Antônio Manuel destruía a machadadas suas 'Urnas quentes' em cujo interior estavam textos/imagens sobre a violência da ditadura, um amestrador de cães convocado por Rogério Duarte dialogava com seus animais num espetáculo insólito. No dia seguinte, pelos jornais, a polícia anunciava o emprego de cães na perseguição aos manifestantes políticos...".

APOCALIPOPÓTESE brincava com fogo: não era o jogo como paráfrase do sério da vida humana, mas era o sério mais sério. Não era um inofensivo ludismo. A "inocência" era um comentário ácido e premonitório. Jogar com a barra-pesada como a roleta-russa ou o cavalo de pau. O apocalipse, contido na palavra-valise **APOCALIPOPÓTESE**, possuía uma camada de pressuposição: o livro do Novo Testamento que contém as revelações feitas a são João Evangelista na ilha de Patmos. Apocalipse deriva do étimo grego *apocalypsis*, que quer dizer "revelação". Rogério Duarte, misto desmesurado de Tirésias e professor-teórico de desenho industrial, sempre foi encharcado do pensamento esotérico (mandalas, rosa-cruzes, budas, noche oscura de San Juan de La Cruz, tarô, cabala, teosofia, zen, calendário maia, Jung, basilisco, pedra filosofal, Hare Krishna, arcanos); ao qual Hélio sempre foi esquivo.

Num roteiro de Super-8 (1970) HO colocava uma placa na estrada do Silvestre (bairro de Santa Teresa-Rio de Janeiro) onde chamava o Rogério, com mordacidade, de Madame Duarte, em uma clara alusão à escritora esotérica Madame Blavástki que influenciou até Fernando Pessoa, mas também a todas as vulgares cartomantes, ocultistas e leitoras de mão que são chamadas ou

Madame Beatriz ou Madame Dilza etc. etc. Quando o grande poeta Yeats perguntou aos espíritos por que é que eles tinham vindo lhe ditar "uma visão", através da mediunidade de sua mulher, os espíritos responderam: "Para trazer metáforas para tua poesia". O homem que tinha bolado o **PARANGOLÉ "ESTOU POSSUÍDO"** tangenciou o esoterismo e gostava principalmente do sentido revelatório que a palavra apocalipse possui, mas para ele o que valia era nada além do mundo imanente com suas diversas aparições, camadas, capas, volumes, superfícies, dobras, fissuras, arestas.

Para sua interlocutora Lygia Clark, ele escreveu: "Mas o que quero lhe contar é a manifestação do Aterro: foi a melhor com o público que já fiz; desta creio que posso tirar um novo sentido para tudo: chamou-se **APOCALIPOPÓTESE**, termo inventado por Rogério como um novo conceito desse tipo de objeto mediador 'para a participação' ou por ela: eu com as capas, Lygia (Pape) 'com os ovos', Antônio Manuel com as 'urnas quentes', que eram caixas fechadas para serem destruídas ou abertas, sempre com algo escrito ou pintado dentro. Rogério levou cães amestrados, que a meu ver foi o mais importante, [...] e o Raimundo Amado filmou tudo, e parece que o filme fica pronto esta semana: não é genial?! Mário (Pedrosa) acha que houve aí algo mais importante do que o sentido de happening, pelo sentido realmente aberto das experiências: [...] compareceu nesta manifestação o músico americano John Cage, um dos inventores pioneiros da música pop ou 'acidental'; como sempre os jornais nem uma entrevista fizeram com ele, veja só".

Levado pela dançarina Maria Ester Stockler, John Cage assistiu porque estava de passagem pelo Brasil. Cage até inventou um repente espirituoso que o Hélio gostava de repetir: "para os anarquistas brasileiros, antes da derrubada completa e absoluta de todo e qualquer sistema, a primeira tarefa seria aperfeiçoar o sistema telefônico". Já que era dificílimo conseguir linha, a linha não estar cruzada, o número discado não cair errado, as linhas não se encontrarem congestionadas, as pessoas recebiam recados e não devolviam as ligações, quando a chamada era completada ouvia-se em ondas paralelas uma parafernália de sons que mais parecia *Amazonas* de Heitor Villa-Lobos etc., a primeira tarefa para os anarquistas brasileiros: antes de mais nada conseguir melhorar até a máxima eficiência o sistema telefônico. Desafinar o canto orfeônico repetitivo e constante do "Queira desculpar". Coincidia com o desejo do Hélio, ex-operador de telex e iconoclasta autor de **BRASIL-DIARREIA**, de aperfeiçoar a central telefônica cortical, ampliar os painéis do córtex dos anarquistas brasileiros — unir os fios soltos da experimentalidade. (Localizo, dias depois, no livro *M* que compreende os escritos de 1967 a 1972 de John Cage, no texto intitulado "Diário: Como melhorar o mundo — você só tornará as coisas piores — continuado em 1969 — parte 5", as frases confirmadoras do que contei acima. Cage adverte brincalhão: "Aviso aos anarquistas brasileiros: melhorar o sistema telefônico. Sem telefone, será simplesmente impossível começar a revolução".) Mas os anarquistas brasileiros não tinham poder algum, nem de intervir na companhia telefônica. Só o direito de espernear, o *jus esperneandi*, como gosta de se expressar qualquer advogado chave de cadeia. Aliás, *telefone* é a designação mordaz de uma forma de tortura nos ouvidos muito usada por torturadores policiais-militares brasileiros. Mas a bola de cristal não estava fosca e tinha disparado certeiros sinais: **APOCALIPOPÓTESE** (julho 1968) possuía um forte caráter de sibila adivinhatória, antecipatória da noite escura mas não só a noite escura da alma mística de San Juan de la Cruz mas, principalmente, a noite escura do domínio da linha dura. Visionário sopro, **APOCALIPOPÓTESE**. No final do semestre e do ano, no dia de azar, 13 de dezembro de 1968, editava-se o famigerado Ato Institucional número 5. Endurecendo o reinado da cadeira do dragão e do pau de arara. Prisão e posterior confinamento na Bahia de Caetano e Gil. "Faz escuro mas eu canto."

Pois sim. Tesoura total da censura. Linha dura e tortura sempre mais e mais.

Berimbolou geral mas malandro pedra noventa não bobeia. Pedra que rola não cria musgo. Rola e não cria limo. Era a hora do pinote e Hélio sempre se gabou de ser o Rei do Pinote. Também vivendo situações-limite que exigiam dele manter seus poros abertos na captura dos sinais, uma espécie de código de escoteiro contracultural sempre alerta para a possibilidade da barra sujar, da polícia chegar pedindo babilaque. Felino sabe saltar de lado, pular de banda na selva escura e no culto da barra-pesada. Nas áreas em que perambulava era obrigado a uma operação contínua e interminável de decifração de sinais extraverbais. Bateria atravessando na quadra do samba. Presunto no mato. Carro rodando de luz apagada. Faro. Habilidade de plugar a mente no que estava ocorrendo. Preciosa vivência do gueto como liberação, resistência e lealdade. Manter uma amizade perante a malandragem supõe sacar o sentido da *sugestão* supridora da carência de recursos léxicos do vernáculo híbrido indígena das favelas que existiam ainda em exíguo número em comparação com o crescimento em escala geométrica que as estatísticas atuais constatam. No final do século passado havia no Rio de Janeiro uma só favela ocupada pelos militares pobres retornados da guerra de Canudos. "[...] Cada um pobre que passa por ali/ Só pensa em construir seu lar/ [...] Seu pedacinho de terra pra morar.// E assim a região sofre modificação/ Fica sendo chamada de nova aquarela/ É aí que o lugar/ então passa a se chamar/ Favela" — canta o belo samba-épico de Padeirinho (Oswaldo Vitalino de Oliveira), o Bertolt Brecht naïf da Mangueira. As favelas avolumaram-se nos 1970, 1980 e metade do 1990. No fim do século XX, elas são mais de quinhentas. Do estrume desse mangue é donde sempre medra a ideia de invadir a vida.

DA ADVERSIDADE VIVEMOS.

EXPLODING GALAXY

O novo interesse internacional por Hélio Oiticica era previsível. Por mais que se evite o determinismo, como se existisse uma fatalidade que presidisse a história. Era previsível e é um interesse crescente e ainda não alcançou seu cume. Previsível porque, por um lado, na obra de Hélio está sempre presente um diálogo com o construtivismo europeu em um momento em que o construtivismo estava apagado por uma certa voga, uma certa vaga, onda de informalismo abstrato. Imprevisível porque antecipa desdobramentos inusitados. Por exemplo, atualmente um dos itens mais atraentes de *art world on line* é nada mais nada menos que o **PARANGOLÉ** digitalizado e reinterpretado como **CYBER-PARANGOLÉ**!!! Uma espécie sofisticada de Brazilexport: o **CYBER-PARANGOLÉ** foi posto em circulação pelo artista nova-iorquino Jordan Crandall que sempre coloca a tarjeta *D'aprés Oiticica* onde quer que apresente sua homenagem ao nosso ponta de lança. Ironia da história: a parca tecnologia, conceituada pelo seminal Glauber Rocha como estética da fome, vira item-ímã da alta tecnologia. Óleo de carnaúba na espaçonave da NASA.

A capa da revista *Art in America* em janeiro de 1989 exibiu Mosquito vestindo **PARANGOLÉ** onde está escrito "Sou o mascote do parangolé/ Mosquito do samba" dançando ao lado do **BÓLIDE 5, "HOMENAGEM A MONDRIAN"**. Como matéria central, o crítico inglês Guy Brett escreveu o ensaio intitulado "Hélio Oiticica: Reverie and Revolt", do qual recortamos e traduzimos o seguinte trecho inicial: "É parcialmente devido a sua originalidade, e seu desafio ao sistema institucional da arte, que seu trabalho não se tornou amplamente conhecido. Mas existem também outros importantes fatores. Os trabalhos de Oiticica são profundamente enraizados no Brasil moderno, em sua natureza tropical, em sua realidade social e em uma cidade particular: Rio. Contudo isto não faz de sua arte uma expressão local. Seus conceitos são universais. Entretanto, seus trabalhos nem podem ser assimilados a uma ideia de 'arte internacional' que tem sido construída pelo (e à imagem do) Ocidente. Tudo que ele produziu é tão específico de sua origem fora das culturas afluentes — no mundo subdesenvolvido, no terceiro mundo — quanto, ao mesmo tempo, marca um novo estágio no processo emancipatório perseguido pela vanguarda no coração da cultura moderna". O crítico inglês viu a uva, quer dizer, viu exatamente o que escapava ao postulado colonizado de produzir *para inglês ver*!

Tanto o Hélio quanto a Lygia Clark começaram a ter um diálogo profundo levando até o fim. E quando eu falo diálogo, é um diálogo devorador que radicalizava algumas questões levantadas tanto por Mondrian, Vantongerloo quanto por Arp (ou Klee), radicalizando algumas posições derivadas do construtivismo europeu. Na época isso era quase inédito. É importante assinalar que uma evolução semelhante, em muitos aspectos, ocorreu com o grande artista filipino David Medalla. É o próprio Medalla que diz: "Para aqueles interessados na história do desenvolvimento das ideias artísticas, meu trabalho deve ser visto como a evolução natural e a síntese de certos conceitos de plasticidade, inicialmente explorados (mas não inteiramente desenvolvidos) pelos três grandes artistas do neoplasticismo holandês: Piet Mondrian, Theo van Doesburg e Georges Vantongerloo".

Exploding Galaxy: vida em comunidade, anos 1960, com a sua ênfase na arte como parte de uma ambiência total. Drogas, promiscuidade sexual, problemas policiais etc. — assim seria estereotipado através da ótica enodoada do jornalismo neoconservador, tecido de horrores, tão datado quanto tudo que existe é datável. *Comuna multimídia*. Hélio assinala suas impressões, similitudes e diferenças com o grupo Exploding Galaxy: "Há, porém, algo bem semelhante, talvez não tanto na formulação mas bem parecido na relação do comportamento, ou do descrédito da 'obra' como algo estático ou mesmo objetal, na experiência total a que se entrega o grupo Exploding Galaxy de Londres. A casa onde vivem, que pode não ser só aquela mas será a que houver por onde quer que andem, tem esse caráter de um ambiente-recintotal — até a comida, o comer, o vestir, o ambiente em si, mostram que lá com eles a vida e a obra não se podem separar, pois na verdade não há essa diferença mesmo. Não há que dizer que suas manifestações nos parques de Londres ou Amsterdam, ou por onde mais andarem, sejam a obra, ou uma forma dela — não seria exato: é que tudo é manifestação, mesmo as omissões do cotidiano, seus atos falhos, ou a fraqueza de se aguentar a vida, talvez porque o sentido comunitário com que se geraram, nisso, empreste a necessária integridade para tal. E os museus? E a arte das *galerias*? Prefiro a das *galeras*, que eram lindas e percorriam os sete mares, de sul a norte, e nos fazem pensar em Captain Blood ou em Errol Flynn com seus cabelos de mouro, encaracolados...".

Desse caldeirão efervescente surge a semente da "Subterrânia" (texto escrito em setembro 1969, Londres), uma encruzilhada da margem brasileira com o underground internacional: "consciência para vencer a superparanoia, repressão, impotência". David Medalla atuava com o grupo multimídia Exploding Galaxy. E junto com Paul Keeler dirigia a Signals Gallery, centro de experimentação e avant-garde na *swinging* Londres dos anos 1960. A Signals Gallery, depois de expor os pioneiros da Arte Moderna, tais como Mondrian, Malevich, Duchamp, Schwitters, Arp, Calder, tendo se firmado como uma das mais ativas e influentes galerias europeias de então, passa a introduzir algumas figuras emblemáticas da nova arte internacional, como o artista grego Takis Vassilakis, Soto, Cruz-Díez e os brasileiros Sérgio Camargo, Lygia Clark e Hélio Oiticica. Com o fechamento da Signals, Guy Brett propõe à Whitechapel Gallery uma monumental exposição de HO, que acabou sendo um furor. **TENDAS, PARANGOLÉS, ÉDEN.** Hélio demonstrou ser possuidor de um verdadeiro sismógrafo de gafanhoto, pois como todo mundo sabe o gafanhoto é capaz de prever terremotos e o sismógrafo HO embarcou no cais do porto da praça Mauá — carregando Torquato Neto a tiracolo — com destino à Inglaterra dias antes da promulgação do famigerado AI-5, golpe dentro do golpe militar, que endurecia ainda mais a ditadura e estabelecia uma perseguição desabrida aqui no Brasil.

(Hélio e Torquato, após a exposição da Whitechapel, se desentenderam; Torquato depois partiu para Paris e retornou ao Brasil. Durante a feitura do almanaque **NAVILOUCA**, Hélio enviava todo seu material de Nova York em meu nome, fingindo ignorar que a revista tinha dois diretores, Torquato e eu. As cartas de Hélio e seus relatos orais atestam que Torquato tinha "aprontado poucas e boas". Não houve tempo para uma reconciliação. Após o suicídio de Torquato, Hélio continuou por muitos anos se referindo ao amigo morto com o tempo verbal sempre no particípio presente e num tom exclamativo: — Torquato é de amargar!!!)

No mesmo ensaio "Hélio Oiticica: Reverie and Revolt", Guy Brett diz com todas as letras: "Os trabalhos de Oiticica e Lygia Clark tangenciam (ou mesmo iniciam) muitas correntes da arte recente em vários pontos: *minimal art*, *earth art*, arte cinética, arte ambiental, conceitualismo, poesia concreta, *body art*, performance. E é precisamente na maneira como seus trabalhos tangenciam esses movimentos que algumas diferenças vitais se tornam claras. No que diz respeito a todos estes 'ismos', Oiticica e Clark colocaram a presença física do espectador no centro... A implicação, ou subtexto, dessa paixão é uma superação do sentimento e saber dissociados, da mente e do corpo, do eu e do outro, do produtor e do consumidor. Acredito que esta foi a proposição revolucionária dos brasileiros Hélio Oiticica e Lygia Clark".

Uma dupla do barulho sem reverência passiva e sempre tentando desdobrar as questões até o fim, e atualizar e presentificar aquelas questões.

O mundo sem objetos da tela de Malevich exige uma atitude arrojada de recomeço radical. Os problemas propostos indicavam a superação da tela emoldurada e apontavam para a construção no espaço. O *Broadway Boogie-Woogie* e o *Victory Boogie-Woogie*, últimos trabalhos de Mondrian, são compreendidos corretamente enquanto problematizações fecundas e entram num fogo cruzado de leituras penetrativas de Hegel, E. Cassirer, S. Langer, Merleau-Ponty. Esse procedimento equipou o Hélio com ferramentas conceituais muito poderosas. Não é um naïf nunca. O círculo de arte do primeiro mundo é excessivamente sofisticado e desmontaria um naïf.

O Brasil, um país deslocado do eixo central, um país periférico. Que realiza uma devoração, uma revisitação da problemática construtivista (Max Bill, Mondrian) no momento em que o construtivismo já não estava no centro da cena internacional.

Interlocutor inglês do Hélio Oiticica, avesso ao insulamento complacente do eurocentrismo, Guy Brett em depoimento a Carlos Zilio e Luciano Figueiredo: "... eu nunca tinha visto cores como as cores do Hélio, nunca tinha visto nada assim na Europa...".

O esgotamento de modas, revistas de arte, galerias, a tirania da *painted word* do mundo mental dos curadores e marchands fazem com que seja invocada uma injeção brutalista. Aparecer uma experiência de um artista de uma outra área do mundo, um artista requintado e brutalista. Requintado porque os conceitos são bem fincados e com uma filosofia subjacente além de um diálogo permanente e altivo com a tradição construtivista. Por exemplo, aquela última obra dele é uma referência-homenagem a Paul Klee. Na área desprezada e desolada do Rio de Janeiro chamada Caju ele fez **DEVOLVER A TERRA À TERRA**, que é um diálogo inusitado com Paul Klee, exemplar do que ele denominou de **KLEEMANIA**. A apropriação do bilhar é um refazimento hiper-realista do quadro de Van Gogh. Há sempre um diálogo tenso com as afinidades eletivas. E muitas vezes torto e desviante. Assim, Malevich e seu branco sobre o branco, cume da depuração, e no entanto Hélio vai inserir esse projeto radical na Estação Primeira da Mangueira, mas o Hélio pensa Malevich enquanto movimento fundante e se infiltra no Buraco Quente da Mangueira. A tábula rasa de Malevich só pode ser cumprida com uma forte distorção de sua programação inicial. HO soube fazer uma fogueira, produzir luz e calor, esfregando o pau de Malevich com a madeira de lei da Mangueira. Frequentar a Mangueira, isso representava no Brasil uma ruptura não pequena, quase impensável hoje de retraçar, quando em qualquer ensaio e desfile de escolas de samba pululam figuras do nosso mundo social, madames, locomotivas e alpinistas, atores de televisão, modelos de agências de publicidade. Mas no momento em que Hélio foi para a Mangueira, isso representava uma ruptura etnocêntrica, era uma ruptura com o grupo dele, a família, tudo, porque era incomum, a escola de samba era um pertence quase que exclusivo da comunidade negro-branco-mestiça do morro da Mangueira. Genuíno laboratório de miscigenação. Por ser branco, lá no morro foi rebatizado de "Russo" e desvestia-se do nome de família Hélio Oiticica. Hoje, vêm caravanas de paulistas, caravanas de mineiros, caravanas de suíços, chegam ao aeroporto e horas depois já estão desfilando na escola de samba. Ele vagava no morro o ano inteiro, conhecia as quebradas como a palma da sua mão. Barracos, biroscas e bocas. Incorporando o modo sinuoso e abrupto, barra-pesada e festa, clima de cidade pequena onde todos *sacam* todos. Entretecendo amizades e laços. Então ali era realizada uma atitude inaugural de imersão. Comparável à mudança de casca de uma árvore ou à mudança de pele de uma cascavel. E, ao mesmo tempo, uma realização adulta de um sonho infantil: Hélio menino sabia de cor o *Guia Rex* contendo os mapas das ruas de todos os bairros da cidade do Rio de Janeiro. Obcecado desenhador de mapas de territórios ignotos. Nisso parece até uma atitude aproximada de Rimbaud. A única diferença que vejo e proclamo é que a favela da Mangueira não era para ele uma caricatura da Abissínia de Arthur Rimbaud, porque Rimbaud foi para a África traficar escravos e se tornou mudo como o deserto, mudo como o Saara. Já a Mangueira onde o samba é madeira, falava que falava! A Mangueira para o Hélio era prenhe de possibilidades estruturativas, estruturais. Vivenciando a própria formação do barracão estabelece uma apreensão direta, total, envolvente que desemboca na construção do penetrável intitulado **TROPICÁLIA**. **PENETRÁVEL**, a própria denominação do conceito **P-E-N-E-T-R-Á-V-E-L** denota inegável índice erótico. Os **PENETRÁVEIS**, **TROPICÁLIA** e **NINHOS** e **ÉDEN** podem e devem ser encarados enquanto mapas cartográficos, astrolábios, bússolas e sondas da imersão oiticiquiana no novo mundo.

Não por acaso entre as indicações de plantas do **PENETRÁVEL "TROPICÁLIA"** aparecem: comigo-ninguém-pode, espada-de-ogum, guiné, gravatá, plantas populares, plantas bastante abundantes e comuns no morro brasileiro até hoje, nas casas simples do Brasil elas estão sempre presentes, para afastar mau-olhado, para tudo. Plantas para banho, preceito, remédio. (Jamelão, intérprete-padrão de nossa música popular, carrega nome de frutinha que passarinho gosta de comer para cantar poderoso e belo.) A própria arquitetura enviesada da favela, as chamadas "quebradas", porque as ruas, quero dizer as vielas, becos sem saída, nunca seguem um

caminho linear, é um caminho meândrico e a seu modo refundiu no Hélio a própria ideia de labirinto, tão presente no trabalho--desejo dele. Desejo precoce pois seu diário já registrara:
"15 de janeiro de 1961 (domingo):
ASPIRO AO GRANDE LABIRINTO"...

CORPO VAZADO
(MERGULHO DO CORPO, BÓLIDE-CAIXA 22, CAIXA-POEMA NÚMERO 4-1967)

Jean-Luc Godard, 1995, refletindo criticamente sobre o espelho dos cem anos de cinema, lançou um raio de pensamento paradoxal: "O espelho deveria refletir antes de reenviar a imagem". A pessoa se debruça sobre uma caixa d'água trivial eternit (marca registrada), não entra nela, somente se inclina a espiar a sua imagem que aparece sobreposta à frase inscrita com letras de borrachas cortadas e coladas no fundo do tanque — "Mergulho do corpo" —, quer dizer, entre a imagem que se debruça e o reenvio dela, uma levíssima operação ocorre de superação da dicotomia corpo/espírito, corpo/linguagem; a imagem é reenviada com a reflexão da frase inesperada "Mergulho do corpo" escrita no fundo do tanque. Provoca um susto decolador e descolador em Narciso. Um mergulho em que o corpo não aparece mais como um pedaço de matéria, um feixe de mecanismos mas enquanto carne animada. O antiquíssimo adágio que diz que "a verdade mora no fundo do poço", geralmente profundo e escuro, no trabalho intitulado **MERGULHO DO CORPO**, é desfeito completa e simplesmente, pois não passa de apropriação de uma caixa eternit dessas que se adquirem em qualquer loja de materiais de construção. Quer dizer, nada possui da aura de objeto artesanal único, poço artesiano singular, cacimba sagrada; é um *ready-made* mas um *ready-made* transcodificado, envenenado, tal qual a Mona Lisa duchampiana com bigode e cavanhaque, pois vem escrita no seu fundo claro e raso a expressão "Mergulho

do corpo". Cheio d'água como se fosse um espelho narcísico, o lendário lago onde Narciso se mesmeriza, se apaixona por si mesmo. Nem quer ser um bom espelho, no sentido óptico de uma superfície refletora constituída por uma película metálica depositada sobre um vidro ou um corpo metálico polido; nem também quer ser um bom espelho no sentido pragmático da pessoa poder se mirar, se pentear, retocar a maquiagem etc., se bem que possa desempenhar essas funções com tranquilidade. É na verdade um espelho fluido, cambiante, precário, oblíquo e dispersivo pois a pessoa se pega lendo a frase superposta e integrada à sua imagem como uma cicatriz, ou um cascão. "Sai da frente, espelho sem luz" — é uma expressão usual quando uma outra pessoa se interpõe entre um sujeito e o espelho; o outro encarado como obstáculo, como criador de opacidade. Mas sobre a borda do pequeno tanque quatro ou cinco corpos podem se debruçar simultaneamente, aparecendo então um corpo-espírito-grupal interfundido. Como se *ali* estivesse tatuado este pensamento de Duchamp: "A fronteira de um corpo não faz parte nem do corpo propriamente dito nem da atmosfera circundante".
MERGULHO DO CORPO é um espelho arquetipal, "primitivo", como o espelho de qualquer superfície aquosa, espelho das águas de um riachinho onde está depositado, como aluvião, o enigma da pergunta contemporânea: que corpo é este?

Que corpo é este? Que corpo é este? Eco, a ninfa apaixonada por Narciso, parece continuar indagando na fantasmática cena atual. Mas é um tanque pré-fabricado, industrial, obra despojada. Deserto de ninfas e bosques e fantasmas. **MERGULHO DO CORPO** é só um mergulho e não visa captar nenhuma shakespeariana essência vítrea. Por isso é raso, talvez, para "evitar a autoilusão de pensar que possuímos uma natureza profunda", como bem diz Richard Rorty em *A filosofia e o espelho da natureza*.

Que corpo é este? Seguramente posterior às concepções médicas do corpo no século XIX e princípios do século XX. Não é propriamente o monte de órgãos descrito nas lâminas dos anatomistas, nem somente a conjunção de processos de que tratam os fisiologistas, nem se restringe ao objeto de análise dos biólogos; quer dizer, não se reduz só ao corpo de que a ciência vê ou de que fala. Nem exclui nem exige, necessariamente, o corpo dietético, compulsiva caligrafia paginada pelas academias de ginásticas, jogging e spas.

Seguramente, **MERGULHO DO CORPO** escolhe e "reflete" um outro corte: o corpo capaz da fruição sensorial, o corpo desreprimido, o corpo erótico, o corpo matriz das singularidades e fonte originária, renovável, de prazer. **MERGULHO DO CORPO** é um espelhamento pensado ("refletido", "especulado") para ser unificação das partes separadas corpo/espírito, corpo/linguagem. Fiquei assombrado de ver a montagem na Europa, na Holanda, país protestante onde o corpo foi reprimido de uma forma maior que no Brasil. Era uma dificuldade imensa as pessoas mirarem ludicamente aquela água. Partirem para o mergulho da linguagem corporal. Aquela curiosidade afastada, uma dificuldade de participar, de penetrar na experimentalidade. Faltava vontade de "comer com os olhos".

Na Holanda, país paradigmático da tolerância, entretanto, mesmo quando o corpo aparece desnudo, na primavera-verão, é de uma inocência dessexualizada, recende ao ascetismo do mundo interior. Visto sob o parcial prisma apimentado-tropical.

O SUADOURO
TEATRO, SEXO E ROUBO

Vou narrar dois casos instrutivos da anulação do mundo convencional do moralismo e que constituem, temporalmente, momentos sucessivos da História da Arte. Primeiro vou falar do "banho", logo depois da "sauna", ou melhor, "suadouro".

1 — Refiro-me ao "banho" que Modigliani deu no grande artista Jean Arp. Para ficar parecendo uma escultura de Degas, chamo ironicamente esse episódio pitoresco da História da Arte de "O banho". Retirando as camadas de maquiagem aplicadas sobre o fato nu e cru, aqui vai o relato de Jean Arp contido no **DADA-LAND** (Terra dada): "Eggeling vivia em um estúdio úmido e sinistro no Boulevard Raspail. Do outro lado da rua vivia Modigliani, que muitas vezes vinha visitá-lo, recitar Dante e ficar bêbado. Ele também cheirava cocaína. Uma noite ficou decidido que junto com alguns outros inocentes eu seria iniciado nos *paradis artificiels*. Cada um de nós entregou alguns francos a Modigliani para comprar a droga. Esperamos horas e horas. Finalmente ele voltou, hilariante e fungando, já tendo consumido toda a provisão da droga".

2 — Mangue aqui no Rio de Janeiro, Brasil, quer dizer puteiro, zona do baixo meretrício, *red light district*. Vivências fronteiriças em termos éticos sociais transmutam-se em invenções de novas estruturações artísticas. Uma vez, abril de 1970, eu estava morando na casa do Hélio, não tinha outro lugar para morar, *a shelter*, *gimme shelter*, fui morar na célebre rua Engenheiro Alfredo Duarte,

Jardim Botânico. Ele me chamou para morar lá porque tinha lido um texto meu, o começo do que veio a ser depois o meu primeiro livro, *Me segura qu'eu vou dar um troço*, e quando levei quinze dias sem ligar para ele, eu já tinha distribuído aquele texto a diferentes pessoas e não tinha tido retorno, quando liguei ele disse:

— Você é louco, eu já estou aqui na prancheta, que texto denso, já li doze vezes, estou aqui desenhando a boneca, a diagramação do livro!

Com aquele impulso positivo, o primeiro que eu tinha tido, é que resolvi, porque já estava colocando uma pedra, paralisando, provisoriamente que fosse, a vontade de continuar escrevendo, com aquilo retomei, aquilo foi um impulso para continuar escrevendo, e mandava para ele os novos textos que iam sendo produzidos. Não tendo pouso certo, eu não tinha nem onde morar, aqui no Rio, fui morar na casa dele, disse: "Venha morar aqui!". Ele, Dona Angela, mãe dele, os irmãos Cláudio e César, aí fui morar lá. Sem esquecer a quituteira, a "internacional" Zeni — "internacional" porque uma foto dela tirada pelo HO ilustra o catálogo da Whitechapel Gallery, com os seguintes dizeres: "Zeni with Basin Bólide 1 (1966)".

Uma noite saímos e Hélio antes de sair fazia uma verdadeira camuflagem, era uniforme de camuflagem e fazia toda uma maquiagem de camuflagem, porque como tinha cabelo muito longo, *long hair* dos finais dos 1960 e começo dos 1970, ele amarrava o cabelo todo e colocava um boné de cor cáqui, quer dizer, a cor mais de camuflagem possível, semelhante ao uniforme de campanha do Exército quando vai para as selvas. Estou pegando como metáfora, o Exército quando vai para as selvas usa roupa verde com preto para confundir com a vegetação, ele saiu assim disfarçado, já eu saí com uma roupa comum que poderia estar usando de tarde ou de manhã, e nós fomos para um setor chamado "mangue", que era uma antiga região de mangue do Rio, de mangue, que estou dizendo geográfico, e também, já que mangue é uma palavra polissêmica, é uma palavra-mangue, mangue que prolifera igual à zona de puteiro, ali no Estácio, a Vila Mimosa, de nome que evoca *la belle époque*, e ele conhecia uma daquelas casas, que quem dirigia era de um lado Rose Matos, filha de Zezé e Oto do Pó, nascida no morro de São Carlos, afilhada do grande Alcebíades (o Bide da dupla musical Bide-Marçal, responsável por obras-primas tais como *Agora é cinza* etc.). Rose era amiga dele e minha amiga, grande passista da Mangueira, que foi casada, foi casada não, teve um caso com um ex-presidente da Mangueira, Roberto Paulino, jornalista e dono da Companhia Cerâmica Brasileira. Então Rose, uma grande passista, uma mulher muito bonita, belíssima, uma verdadeira rainha, uma rainha do balacobaco, era uma das donas dessa casa junto com Pepa, uma "boneca" muito atrevida e despachada. Só que a casa abrigava uns oito, dez ou doze travestis, que iam caçar na zona sul, porque o Estácio é na zona norte. Rose efusiva nos levou para um quarto e assistimos a uma operação de "sangria de um pato", chamada "suadouro": um travesti chegou, entrou com um bofe num quarto vizinho a este em que nós estávamos e ao mesmo tempo Rose, genuína palmeira de mangue, na janela dava dinheiro à polícia, corrompia a polícia, e ela era muito espirituosa, cheia de desaforos e lábia, sabia bem comprar a polícia, e esse travesti que devia ter um nome exótico tipo Natacha, Tatiana, Kariênina, Anastássia, era cada nome mais surpreendente, e geralmente uma atração por nomes extraídos de romances russos, esse travesti chegou com um homem e entrou num quarto contíguo ao nosso. Pepa, que estava no mesmo quarto que a gente, começou a operação de retirada de uma porta que separava os dois quartos — o rádio do quarto em que estava a *mona* com o *okó* que tinha fisgado na rua, o rádio numa boa altura para criar um álibi, não se ouvir as zoadas da operação — a Pepa desaparafusou a porta, a porta já era feita prêt-à-porter, apropriada pra ser deslocada, tirou a porta — as roupas do homem que transava com a Natacha ou Tatiana estavam sobre uma cadeira numa disposição oportuna a meio caminho — e Pepa, rastejando, deslizando, *crawling*, entrou no quarto, pegou a carteira, pegou todo o dinheiro, deixou a carteira vazia, saiu do quarto, botou a porta de novo no mesmo lugar, e o rádio tocando uma música sentimental, uma música romântica, possivelmente aquele sucesso "Eu não presto mas eu te amo, eu não presto mas eu te amo", a toda altura, e a Pepa saiu do quarto onde nós estávamos, e como num laboratório de interpretação, mudou velozmente a caracterização do personagem, foi para o corredor e bateu na porta do quarto onde o casal estava e fazendo uma voz teatral de tia zangada, rompante de tia moralista zangada, num simultâneo pam pam pam na porta e fala esbravejante, estrilou:

— Que falta de vergonha é essa na cara, eu já cansei de lhe dizer, Natacha, que eu não quero essas safadezas na minha casa, você está pensando o quê?

A Natacha ou Tatiana, que já tinha colocado a roupa com a rapidez de uma onça suçuarana, tudo era um exemplo de agilidade e pressa, dinamismo, cenários que se superpunham como camadas sucessivas, a Tatiana-Natacha saiu fora, e o homem se vestiu e já numa posição de culpa, de vergonha, balbuciava:

— Ih! aquela mulher roubou a minha grana!

A Pepa retrucava na bucha:

— Quer o quê? Que mulher? Mulher coisa nenhuma! Você estava dormindo com um homem na minha própria casa, aquilo era um homem barbudo, na minha própria casa, que falta de respeito! A Natacha tem uma mala enorme, uma malona descomunal, o volume duro ultrapassa vinte e cinco centímetros. Não vá me dizer que não provou, seu sonso, ouvi seus gemidos que ainda povoam minha cabeça. Aliás, sonso não, pela estrovenga que você aguentou está muito parecido é com uma sonsa safada que não respeita o lar de uma senhora digna! Ai, como eu sofro com essas meninas tontas!

O homem ficava com vergonha, murcho, e não denunciava roubo algum à polícia. Pegamos uma carona de volta no fusca envenenado de Tucano, um tira banda-podre, amigo da Rose.

Vejo essa cena inteira de "suadouro" de uma forma despida de moralismo. Janelas e portas que se abrem para a ambivalência ou a multivalência. Jogo com a contiguidade. Vejo isso tendo uma relação interna, íntima mesmo, com a ideia de arte ambiental, com a ideia de ambientação, de *environment* do Hélio, porque todas as coisas se movem rapidamente, um ambiente serve para isso, e pode mudar e ser outra coisa. O eternamente móvel, transformável. Brutalismo cinético. É claro que isso não era nunca apanhado de uma forma naturalista e copiado em bloco, isso se transfundia em outra coisa quando HO estava na prancheta imaginando coisas ou até a milhas de distância disso, a milhares de milhas de distância, por exemplo em outro país, em outro lugar. Vejo assim: uma capacidade de imersão e instalação no irrespirável, mimetismo felino; imitação, reconstrução e transformação da experiência. Interface prancheta-mangue. *Mangue-Bangue*. Lama refigurada em maquete!

Paro de escrever o que estava escrevendo. Esfrego os olhos. Estarreço-me com a nitidez do que vislumbro: tornei-me um voyeur. Não um visionário nem um vidente. Tornei-me um voyeur. Assim como o dissimulado e sonso leitor que destarte justifica os alvissareiros postulados da *Estética da recepção*: comer com os olhos.

Escrever é gozo, escrever é deflorar. Ler é gozo, ler é deflorar. Duas modalidades escavadas da cena primal contida na página 666 do *L'être et le néant* de J.-P. Sartre: "Mas, além disso, na ideia mesma de descoberta, de revelação, uma ideia de gozo apropriativo está incluído. Visão é gozo, ver é deflorar".

ENTRE ASPAS

"O 'achar' na paisagem do mundo urbano, rural etc., elementos **PARANGOLÉ** está também aí incluído como o 'estabelecer relações perceptivo-estruturais' do que cresce na trama estrutural do **PARANGOLÉ** (que representa aqui o caráter geral da estrutura-cor no espaço ambiental) e o que é achado no mundo espacial ambiental. Na arquitetura da favela, p. ex., está implícito um caráter do **PARANGOLÉ**, tal a organicidade estrutural entre os elementos que o constituem e a circulação interna e o desmembramento externo dessas construções, não há passagens bruscas do 'quarto' para a 'sala' ou 'cozinha', mas o essencial que define cada parte que se liga a outra em continuidade.

"Em 'tabiques' de obras em construção, p. ex., se dá o mesmo, em outro plano. É assim em todos esses recantos e construções populares, geralmente improvisados, que vemos todos os dias. Também feiras, casas de mendigos, decoração popular de festas juninas, religiosas, Carnaval etc. Todas essas relações poder-se-iam chamar 'imaginativo-estruturais', ultraelásticas nas suas possibilidades e na relação pluridimensional que delas decorre entre 'percepção' e 'imaginação' produtiva (Kant), ambas inseparáveis, alimentando-se mutuamente."

Hélio Oiticica fala por si em "Bases fundamentais para uma definição do **PARANGOLÉ**", escrito em novembro de 1964, mesmo ano da morte de seu pai pintor-fotógrafo José Oiticica Filho, começo das descobertas de outros vértices da vida, ruptura com uma série de limitações familiares-sociais, além da inusitada bricolagem entre Kant e tabiques de canteiro de obras. Brutalismo e matemática.

"Quando se trata de pensar, tanto maior é a obra realizada, quanto mais rica é, nesta obra, o impensado, isto é, o que através desta obra, e só dela, vem para nós como nunca ainda até então pensado." Heidegger.

"... A minha posição foi sempre de que só o experimental é que interessa, a mim não interessa nada que já tenha sido feito... a meu ver, tudo isso é prelúdio para o que eu quero fazer, um novo tipo de coisa que não tenha nada que ver com os modelos, do que se chamou e se conheceu como arte... De modo que pintura e escultura para mim são duas coisas que acabaram mesmo, não é nem dizer que eu parei de pintar... não foi isso, eu acabei com a pintura, é totalmente diferente..." (Trecho de entrevista de Hélio Oiticica a Heloisa Buarque de Hollanda e Carlos Alberto M. Pereira para o livro *Patrulhas ideológicas*.)

Sabemos que a arqueologia do saber é uma problemática nebulosa. Vamos nos ater aos *indícios de ouro*. Retrato do artista quando *bem* jovem, ainda adolescente de dezesseis anos, Hélio escreveu em 31/03/1954: "Observando como a formiga desviava a pouca distância do meu dedo, resolvi experimentar o seu radar. Pus o dedo indicador cortando a direção em que ela ia, porém longe. Quando chegou a certa distância do dedo, desviou. Marquei o ponto do desvio com o lápis e onde o meu dedo estava, também. Fiz o mesmo com o polegar. Observei que a distância entre o ponto de desvio e a ponta do dedo é igual à distância da falanginha à ponta do dedo. Logo, o ponto de desvio ao se aproximar do dedo indicador é mais longe do que o dedo polegar, pois a distância da falanginha à ponta do dedo do primeiro é maior que a do segundo. O desvio da formiga do dedo médio será maior ainda. Sendo estas distâncias da falanginha à ponta do dedo do sujeito a uma proporção, cujo terceiro elemento é a falangeta, deve-se dar também com o desvio".

A herança do pai entomólogo evidente que deu a experimentalidade ao HO, mas também se a gente não quiser ver esse viés familiar como se fosse um diálogo dele com o pai, vamos pensar numa outra origem, numa outra fonte dessa influência da ideia de experimentalidade, experimentar o experimental, de tudo isso no H. Ora, um outro ponto que a gente pode lembrar é uma citação do Nietzsche que fala o seguinte: só pessoas dominadas, que têm patrão, que têm que responder (essa citação no *Gay Science,* que é um nome estranho hoje que a gente pensa que é um manual gay, mas nós do português antigo sabemos que a gaia ciência é a ciência provençal, não é isso?), de qualquer modo, o que é dito aí, tem um trecho que ele fala claramente o seguinte, que só quem tem patrão, quem não anda na sua própria vida e no seu próprio desejo inteiramente é que tem que tudo temer colocar à prova, senão qualquer ação que você encete na sua vida independe de sucesso ou de fracasso, você transforma a sua vida num laboratório de experimentações. Acho que essa preeminência da ideia de experimentalidade no HO, esse fato da experimentalidade ser um dado-chave, ser uma chave mestra para o trabalho de HO, a partir de um ponto, isto pode ter vindo evidentemente do lado de experimentalismo científico do pai e por outro lado do outro pai intelectual, Nietzsche, que em diversos textos nos mostra a força da ideia de tomar a vida como um experimento. Hélio gostava de repetir: "Eu sou filho de Nietzsche e enteado de Artaud. Desde os treze anos que leio Nietzsche".

Quer dizer, só a pessoa que tem que prestar contas a um patrão, que é escrava, que é dominada, essa vive na ansiedade demasiada do sucesso ou do temor do fracasso, mas quem não tem esse grilhão, esse peso, está livre para experimentar a vida.

COSMOCOCA

"Só existe o que é novo, o que é igual não interessa, porque é mera repetição. Antes havia o que o poeta Ezra Pound classificava de inventores, mestres e diluidores. *Agora só têm razão de existir os inventores*" — diz Hélio Oiticica ao ser entrevistado por Gardênia Garcia para *Arte hoje*, número 16, outubro de 1978.

Enquanto vivo exibiu **COSMOCOCA** apenas para alguns raros. Quando assisti, em outubro de 1974, em Nova York, Hélio fez um sinal do seu vasto código não verbal para que eu esperasse um pouco antes de ir embora, aguardou as outras pessoas saírem do seu loft, me fez jurar segredo, para só aí, então, iniciar o ritual clandestino de exibição. Hélio não estava blefando quando afirmou-me sobre a mais que secreta, mantida oculta a sete chaves, **COSMOCOCA**: "Me sinto sentado em cima de um barril de pólvora, enrolado em bananas de dinamite". A imagem disparava, na tela da minha cabeça, os fotogramas da sequência final de *Pierot, le fou*, de Jean-Luc Godard, um dos mais belos filmes do cinema. Ele estava certo: **COSMOCOCA** é nitroglicerina pura. É ambiência holística, é cosmo; não é cosmético.

Mas que significa isto, esse cosmo? Indica, primeiramente, ultrapassamento da linha ou o estabelecimento de um *paralelo zero*. Ao menos desde **TROPICÁLIA**, HO sempre se aplicou a tratar o problema central da *imagem*. Por certo não se trata de apologia datada e ultrapassada da droga. Não são desenhos desleixados de um viciado. Tampouco é uma obra atípica: não existe obra típica ou atípica enquanto categorias salientes para Hélio Oiticica. **COSMOCOCA** é a pletora da linguagem. Acelerar até as bordas do orgíaco o anterior decorrer orgânico do remanso geométrico-sensível do neoconcretismo. Anulação absoluta dos seres orgânicos do neoconcretismo. Por uma construção intersemiótica de sequências de imagens que adquirem sentido por desencadearem uma série de referências, projetadas ou explícitas, que elas citam, apropriam, parodiam, refutam e, geralmente, transformam. Afirmação da reversibilidade potencial de qualquer imagem e da indeterminação do sentido. Coca como elemento pictórico, mas ele não disse que não era mais pintor? As ambiguidades estão no trabalho para serem experimentadas e não resolvidas. Terreno virtual. O laboratório em que a **COSMOCOCA** é fabricada opera com um complexo movimento simultâneo de afirmação e negação de imagens. O tubo de imagens funciona pela absorção e deformação das outras imagens do farto campo imagético. Conecta, matematiza, prolonga, completa, transforma, sublima, sublinha, desarticula, deforma. O tapete é retirado de baixo dos pés e o terreno sólido desliza em direção ao terreno virtual. Há uma pressuposição básica: as imagens funcionam como já tendo sido vistas anteriormente. Beiram a catatonia. Vertigem.

Um dos ambientes do Hélio, com Neville de Almeida, **COSMOCOCA CC5, HENDRIX WAR**, são exibições do Jimi Hendrix todo contornado de pó, pó como elemento pictórico, construção de trilhas, elemento desenhando, contornando, acentuando, distorcendo e mudando as linhas de uma foto, aplicadas sobre uma foto, como superposição de outra camada, elemento plástico, não é uma incitação, cheire, não é isso. Entre as indicações dessa ambientação, uma era pra você deitar e tinha colchão e lixas de unhas, você deitava e ficava lixando as unhas. Outra ambientação tinha redes. Em uma delas a trilha sonora era de Jimi Hendrix, e na outra a trilha sonora era Luiz Gonzaga... e você na rede... isso me lembra muito mais uma tradição, uma tentativa de apreensão do modus vivendi de índio brasileiro, dos silvícolas brasileiros do que propriamente do africano. Mesmo a sensação de ficar lixando as unhas por uma "eternulidade" lembra muito mais um refazimento, um remake, um retrabalhamento da mãe que fica tirando o dia inteiro piolho. Catando piolho, matando as lêndeas, a mãe e o filho, marido e mulher... uma coisa gostosa a ponte entre tirar piolho e fazer cafuné. Há uma relação erótica light, gostosa, uma coisa preguiçosa, um espairecimento, um gozo do tempo sem imediatez, um tempo com vagar, um tempo eterno, um tempo sem objetivos, um tempo prazeroso, sem horários apressados, sem obrigações. Mil descrições que eu já ouvi de bicho-do-pé, coceira gostosa, e pessoas que gostam de tirar... então eu vejo uma semelhança na mesma coisa, na pessoa que está deitada com a lixa de unha, era uma beleza. Neville é o coautor com o Hélio. Você fica vendo não sei quantos slides passando, ouvindo a trilha sonora e você está aqui, unha por unha, você tá lixando... ao mesmo tempo tem uma vida remansosa, um tempo remansoso de viver... em vila suburbana também, moça de subúrbio que fica na janela observando a vida e fazendo as unhas... mas também parece vida de taba indígena. Você, pelo fato de estar lixando as unhas, você entra noutra curtição do tempo, uma maneira de fruir o tempo diferente do tempo do capitalismo protestante, por exemplo, *time is money*. É diferente disso. *Time is money* não, *time is pleasure*. É o reinado do princípio do prazer e suspensão do princípio da realidade.

RIJANVIERA:
PRÓLOGO OU PRELÚDIO

"Tudo que fiz até hoje era o prólogo. O importante está começando agora. Tudo antes foi só prelúdio" — repetia ele perto do fim inesperado de sua vida alta voltagem. Alta incandescência daquele que incorporou a **LATA-FOGO** tão usada nas estradas do Brasil à sua obra-vida: "uma lata contendo óleo, ao qual é posto fogo (uma pira rudimentar, se o quisermos): declaro-a obra, dela tomo posse" — proclamação de usucapião de julho de 1966.

Algumas dessas latas de fogo iluminavam a fachada do Witte de With (Centro de Artes Contemporâneas) de Rotterdam, "esquentando" o rigoroso inverno holandês, na inauguração da grande retrospectiva de Hélio Oiticica, aquele que se autodesignava "enteado de Artaud", em 22 de fevereiro de 1992. Latas de fogo semelhantes aos anéis e ao próprio Saturno incandescente pela proximidade de um Sol estranho. Recorto de Antonin Artaud: "uma luz de uma intensidade anormal onde parece que o difícil e, mesmo, o impossível tornam-se de repente nosso elemento normal".

Hélio morreu da mesma doença que atingiu seu pai, morreu de hipertensão; o pai aos cinquenta e oito, ele aos quarenta e dois. Evidente que as drogas devem acentuar, desarranjar o organismo e provocar até o desaparecimento mais rápido, mas considero isso uma escolha da pessoa. Vejo no Brasil muito papo moralista, até de artistas. Hélio viveu sob o signo da aceleração e da intensidade. Nele não cabe a carapuça do paradigma morno-médio. Ele não cabe nessa moldura, assim como o que fazia saiu do quadro. A quadratura da área do seu compasso de ação, ele mediu e desmediu como um legislador e não como vítima. Nele o que é escandaloso é a reivindicação do prazer, a volúpia evidente de **COSMOCOCA** e, principalmente, a erradicação da culpa. Prazer que salta as cercas eletrificadas que pretendem separar o normal paradigmático da perversão estigmatizada. Prazer desrecalcado. Enquadrá-lo? O Rei Vorticista que adorava vagar *high speed* alta madrugada no multicolorido e marinettiano ônibus que faz a linha Usina-Leblon. Ele buscava os solavancos. Quer dizer, as diversas naturezas misturadas nele tendiam para as altas vertigens dos altos fornos de macroondas. Aquele que curtia o **DELÍRIO AMBULATÓRIO** porque não se saciava senão com o nascente, o novo. O que eu posso dizer é o seguinte: para que se possa ver o grau extremado, o território excessivo em que ele transitava, vou relatar um telefonema que ele me deu de um boteco, de uma birosca, aí ele falava:

— Alô, estou aqui tomando cerveja e comendo torresmos. Gosto de ficar sentado tomando cerveja com gente vagabunda. Adoro me empapuçar de torresmos! Olha, tem gente que é contra torresmo, essa ideia de comida leve, comida light, isso tudo é um papo furado. Sou a própria Light pois me sinto eletrizado. Tanta energia! Sou capaz até de eletrocutar um otário que encoste no balcão!

Ouvindo isto, eu morria de rir porque não sabia que ele tinha hipertensão, não era frivolidade nem irresponsabilidade. Todo mundo sabe que um hipertenso não pode comer torresmo assim. Então, quer dizer, um axioma que aprendi é que o que é mel para mim pode ser veneno para você. Se eu soubesse da gravidade da doença, mudaria meu tom. Hipertensão é uma doença insidiosa denominada pelos médicos especialistas de "assassina silenciosa", doença que arma ciladas. Mas como imaginar o Hélio vivendo uma vida regrada, com uma dieta, a *reasonable life*, dietética... poderia não ser o mesmo indivíduo se não fosse escolhida por ele, é imprevisível para nós. "Sempre tive uma relação imensa com as ruas do Rio. A minha relação era assim: conhecer gente de rua, principalmente, turmas da Central do Brasil. Estou nas ruas há uns vinte e cinco anos. Sou uma pessoa que pertence às ruas, nunca me contento com uma coisa só, quero muito, quanto mais, mais... A rua para mim era um alimento também que contrapunha toda abstração — eu tinha uma tendência muito perigosa a me encerrar muito nas ideias, o que acontece com todos os artistas, a meu ver. Eu me sentia velho quando eu era adolescente. Então a rua era uma maneira de eu deixar de ser velho, e também uma iniciação sexual, é lógico. Nada melhor do que as ruas para iniciar as pessoas sexualmente e em todos os ramos (risadas), os mais absurdos possíveis, e você pode crer que eu já passei por eles" — garganteia a artaudiana porção Heliogábalo do Hélio inortodoxo, incorrigível, irrecuperável, ao gravador de Jary Cardoso, Folhetim da *Folha de S.Paulo* (05/11/1978), de volta ao Brasil e, principalmente, a sua mui querida **RIJANVIERA**, referência ao Rio de Janeiro que ele extraiu do *Finnegans Wake* de James Joyce.

Ele sofria do boicote da indiferença ao voltar ao Brasil depois de sete anos em Nova York. Noutro telefonema que gravei na memória e anotei muitas e muitas frases no papel, ele dizia:

— Corro todos os dias na praia, final da tarde. Vou do Leblon ao Arpoador e volto. Faço ginástica. Sucos de frutas tropicais. Eu morreria se não morasse no Leblon. Mas estou farto das pessoas falarem em complexo de filho pródigo. Como se para todos eu estivesse dizendo: "Fiz travessuras mas estou de volta à mãe terra, ao meu lugar". Complexo de filho pródigo é um sentimento judaico-cristão que Frederico Nietzsche demoliu um século atrás e ninguém entendeu. Voltando ao Brasil não retomei nada, como se tivesse perdido alguma coisa. Como se as coisas que você tivesse feito antes estivessem perdidas. Você só retoma aquilo que perdeu. Então se fala da retomada da figura, retomada da cor, volta à cor e não sei mais o quê. Tanta nostalgia inútil. Medo de copular com o mundo. Aquele que estabelece transa, mesmo que numa escala não muito grande, se enriquece e cresce. Pois se até os locais em que você vivenciou coisas intensas nunca são retomados. Uma repetição e um esclerosamento da linguagem. Quando pode ser possível outra condição. Um pouco de ar já bastaria. Dar uma voltinha e respirar para quebrar a quiescência esclerosante. Como pinote de adolescente que pula fora de debaixo da saia da mãe. Quem sabe se lá pelas quebradas não aparece o que está faltando? Rio de Janeiro era para mim uma coisa, agora eu aplico o nome Rijanviera e pronto, vira uma descoberta e não retorno a um passado fixo e congelado. Ao voltar de Nova York é que pude sentir na pele o gelo e a indiferença das pessoas em relação ao que faço. Desconhecem o que eu faço e, pior, boicotam inutilmente porque o que faço vai se firmar. Eternos cortadores de onda. Em vão. Todo dia você descobre tudo como se fosse o primeiro dia inaugural. O sol nasce todo dia. Prelúdio.

Fecha as aspas.

HIC ET NUNC AQUI AGORA
INCORPORO A REVOLTA

O Brasil não tem cara inteiramente feita, agora também às vezes duvido se um país não pode passar da infância direto para a degenerescência e nunca chegar a uma grandeza. Contudo prefiro não ser pessimista. É por isso que digo assim, temos que ter presente a ideia de originalidade, de não macaquear, de não ser símio, de não copiar o outro. Hoje mesmo, no plano da cultura brasileira, nos dias de hoje, neste ano, neste exato momento, muito poeta, artista plástico, cineasta, videomaker, quando eles estão falando as ideias são tão marquetológicas, marqueteiras; parece que a própria linguagem deles, em vez da linguagem ser a senhora do mundo, a senhora que conforma o mundo demiurgicamente, não, ao contrário, na linguagem você detecta todos os jargões de publicitários. Que vergonha! Ou que falta de vergonha! — poder-se-ia exclamar com a mesma ambiguidade alternativa. Eles falam como se estivessem pensando e até ficam ensinando regras (o discurso afluente que se pretende crítico da "Fracassomania nacional" etc.), tentando modelar as cabeças alheias e na verdade eles só estão repetindo jargões de empresa de publicidade, como se fossem sábias lições de mundo.

Marchands ditando linhas e balizas para seus artistas protegidos. Como pondera, no sentido etimológico de botar na balança e pesar, Luciano Figueiredo: "... quão acomodada e sem surpresas é a relação entre artistas e críticos; quão venerada e temida é a figura do *curador*...".

Em uma das suas últimas entrevistas, para Gardênia Garcia (revista *Arte hoje*, Rio, outubro de 1978), Hélio Oiticica assim falava: "A profissão de artista, com honrosas exceções, tornou-se mais de caráter comercial que artístico. Todo artista autêntico é um desclassificado, e desde que você transforma a arte numa profissão, cria a contradição. Ganhar dinheiro não é uma coisa essencial da arte, da atividade artística, não pertence à sua estrutura. A pessoa pode começar a fazer o que não quer só para ganhar dinheiro, porque a fórmula agradou. Não quero dizer que ganhar dinheiro não seja estimulante, mas não se pode generalizar e depender disso. O ideal seria que alguém nos produzisse, mesmo quando não se está fazendo nada. Não no sentido do mecenato, mas num esquema mais capitalista. Se não, é melhor viver de expediente."
Fecha as aspas.

Com a morte de Hélio Oiticica morre o *indivíduo* malandro e morre o culto à malandragem. E nasce o reinado sinistro do Crime Organizado, radical no antirromantismo. Os *Comandos* estruturados como híbridos de partidos políticos totalitários, fanáticos religiosos e esquadrões de extermínio. Rambos-senderistas luminosos-beatos.

Meu amigo José Júnior, líder e mentor do grupo cultural Afro Reggae, militante do movimento comunitário de base (*grass roots activism*) que atua em Vigário Geral, reportou-me em linhas gerais: Flávio Negão possuía um haras. Desfilava montado a cavalo por Vigário Geral. Não se mirava nos filmes das locadoras, Rambo etc. Também não se assemelhava a Átila e sua horda de hunos cujos cavalos por onde os cascos pisavam grama nenhuma crescia nunca mais e as pedras espirravam faíscas. Flávio Negão parava qualquer reunião estratégica — planejamento para tomar de assalto outras bocas etc. — e principiava a ler a Bíblia. Sabia salmos e salmos de cor. Sabia de cor o salmo 91: "Aquele que habita o esconderijo do Altíssimo, à sombra do Onipotente descansará". E também o salmo 121: "Elevo os meus olhos para os montes: de onde me virá o socorro? O meu socorro vem do Senhor, que fez o céu e a terra".

No início era testemunha de Jeová, depois demonstrou forte devoção a são Jorge, cavaleiro solitário do manto vermelho escarlate. Quando desfilava montado a cavalo pelas ruas e vielas da favela mentava ser o santo guerreiro. "Sou eu quem durmo tarde/ Sou eu quem acordo cedo/ Sou eu quem só realço tudo/ Sou eu quem não tenho medo." Sua lança: uma AR-15. *Ogunhê*!!!

Fusão Bíblia/paroxismo de violência contemporânea não é privilégio de ninguém. Nem é exclusivo da locação carioca.

Pulp Fiction de Quentin Tarantino quer explicitamente *bring in some bible knowledge* e cita o capítulo 25 de Ezequiel, um dos quatro grandes profetas hebreus, que assim finaliza: "E executarei neles grandes vinganças, com castigos de furor, e saberão que eu sou o Senhor, quando eu tiver exercido a minha vingança sobre eles". Tarântula e seu impulso de castigar.

Já Hélio Oiticica clamava tal qual Zaratustra de Nietzsche: "eu só acreditaria em um deus que soubesse dançar...". O credo dos que almejam deuses dos pés ligeiros.

Numa bela crônica, publicada no suplemento dominical do jornal *O Dia*, o poeta *nuvem cigana* Bernardo Vilhena, sob o pseudônimo de *Bem-te-vi*, assim relata: "... Hélio Oiticica é um cara que morreu faz quinze dias... Mas acabou a malandragem... Hélio Oiticica tava há mais ou menos dois anos de volta ao Rio de Janeiro. Voltou à Mangueira. Subiu o morro e viu o que muita gente não viu. Sei lá. Não sei. Acho que Hélio viu que o malandro morreu...". Mas adiante, na mesma crônica que se afasta radicalmente dos tristes e cinzentos obituários, Bernardo Vilhena, conhecedor do *céu azul dos miseráveis*, acentua: "Um homem do seu tempo. Hélio Oiticica foi uma das pessoas que compreendeu logo que existia um jeito especial do brasileiro viver. Que se a lata d'água na cabeça era boa pra coluna, deveriam existir coisas boas escondidas nos morros da cidade. As boas coisas que preservaram a dignidade, a elegância e a cultura das chamadas classes baixas. Hélio subiu o morro. E essa aproximação natural de um artista foi um dos deflagradores da grande transformação da arte brasileira dos anos 1960. Foi o início da participação do crioulo na vida nacional. E Hélio deve ter tido esta alegria íntima: a percepção de que aquele desfile mambembe na avenida era o maior espetáculo da Terra, uma bateria completa é uma orquestra incomparável. Hélio deve ter tido a percepção de que a raça negra não ia mais esconder seus deuses".

Hélio Oiticica pensava no lazer não repressivo quando a problemática, hoje, é a da cidade tomada pela violência, a da cidade dividida, a da cidade destruída. Tênue, borrada, quase inexistente, linha divisória entre civilização e barbárie. Milícias paramilitares vigiam os bunkers burgueses dos condomínios ditos "chiques" dos novos-ricos que apresentam e representam cafonas caricaturas de "cidades autônomas" — quintessência do apartheid. Confortáveis campos de concentração com quadra de squash, tênis, a churrasqueira, a piscina, a sauna, canil de rottweiler ou dobermann ou cão fila: *la vie en rose* da turminha endógena e absoluta hostilidade guerreira para os estranhos. Gás paralisante. Nossos senadores, nosso Imperador, nossos cônsules e pretores, nossos oradores, não mais precisam esperar nos portões das nossas cidades pela chegada dos bárbaros como no belo e supercitado poema do grande Konstantinos Kaváfis, pois os bárbaros já estão instalados por entre nós. E sua forma usual de agir é a turbulência. Sem plano global, sem meta, sem ideal. Ausência de convicções a não ser o axioma-mor que constitui a emanação mais evidente da lei: se você não possui uma AR-15, você vale menos que uma toupeira cega em sua toca!

A AR-15 funciona mais que a mágica do incenso Abre Caminho. A conceituação de guerra civil molecular que o poeta e ensaísta alemão Hans Magnus Enzensberger faz da turbada realidade por trás da retórica da União Europeia, ou da nova ordem mundial, pode ser utilizada para enquadrar o cotidiano de nossas favelas, nossas periferias, nossos subúrbios, nossa baixada. Sítios em que a guerra civil não é mais exceção mas a regra do dia a dia. Policiais bêbados, corruptos, achacadores, prontos para execuções sumárias a qualquer hora. A gurizada em cima das lajes como vanguarda de olheiros e bucha de canhão. Os donos das bocas e as milícias dos diversos comandos de cabelos rastafári, bermudas de grifes famosas e blusas estampadas com as caras utópicas-libertárias de Guevara ou Bob Marley. A propaganda encarada como uma descrição confiável de um possível modo de viver. Zona de turbulência. À deterioração dos serviços públicos básicos junta-se a insensibilidade, sem par no planeta, da burguesia brasileira. Zona de turbulência. Sucessões de chacinas e queimas de arquivos. Disque-denúncia e a proliferação de alcaguetas. Saraivada de fogos. Queima de ocasião: X-9 a granel.

"Já fostes algum dia espiar...?", pergunto aqui parafraseando o poema famoso de João Cabral.

Não é só lamento de urbanista ou planejador urbano sobre o coração da cidade-fantasma ocupado por escritórios e o lumpensinato, é uma constatação generalizada, atualmente. Generalizada, exceção feita aos excluídos sem voz nem vez e vítimas da forma pós-moderna de *xenofobia*. Analfabetismo. Inexistência real de saúde pública decente. **PARANGOLÉS** dos sem-teto pululam nas nossas megacidades, *malgré-nous*. Como realizar a ideia de Kant da "hospitalidade universal", em seu "Projeto para a paz perpétua" e partir do reconhecimento do "meu" e do "teu", sem ser questão de filantropia mas sim de direito?

"O dinheiro público drenado por técnicas requintadas de corrupção é infinitamente maior que a soma dos roubos e furtos que ocorrem nas esquinas. Mas a imagem usual do bandido é racista e classista. Quando se fala em ladrão, o personagem lembrado é negro e pobre, não é branco e rico. Pelo volume, deveria ser. A pobreza certamente tem relação com os episódios das esquinas, mas não tem qualquer relação com os enormes e frequentes crimes do colarinho-branco. Por outro lado, quando falamos de tráfico de armas e drogas, nosso problema mais urgente e grave, novamente pobreza e riqueza entram em cena: a pobreza na ponta da distribuição, e a riqueza na ponta da importação e do consumo..." — identifico-me plenamente com as translúcidas palavras do antropólogo e cientista político Luiz Eduardo Soares em entrevista conduzida por Cláudio Cordovil ao *Jornal do Brasil*, em 13/01/1996.

A cultura posta em questão em 1967, por Hélio Oiticica, "Esquema geral da Nova Objetividade":
"... é, com efeito, outra a atitude criativa dos artistas frente às exigências de ordem ético-individual, e as sociais gerais. No Brasil o papel toma a seguinte configuração: como, num país subdesenvolvido, explicar o aparecimento de uma vanguarda e justificá-la, não como uma alienação sintomática, mas como um fator decisivo no seu progresso coletivo? Como situar aí a atividade do artista? O problema poderia ser enfrentado com uma outra pergunta: para quem faz o artista sua obra? Vê-se, pois, que sente esse artista uma necessidade maior, não só de *criar* simplesmente, mas de *comunicar* algo que para ele é fundamental, mas essa comunicação teria de se dar em grande escala, não numa elite reduzida a experts mas até *contra* essa elite, com a proposição de obras não acabadas, *abertas*."

Não adianta virar P. Mondrian ou Marcel Duchamp a golpe de fada. Daqui não se pode afastar: Hélio Oiticica é a charada que quem almeja atravessar o rio de fogo e chegar do outro lado, na outra margem, vai ter que enfrentar. HO e suas obras: flechas com curare a furar atalhos e trilhas subterrâneas de uma comunidade potencial. Não é uma viagem através do nosso passado, é a viagem através do nosso futuro.

Não como uma esfinge fantasmática ou nostalgia regressiva. Nem muito menos como se fosse um ponto de equilíbrio arquimédico-mesmerizante! Não como uma lei de um destino inexorável, não como um imperativo categórico nem muito menos como página virada da história da arte mas enquanto experimentação da liberdade. Rio de fogo que é *necessário* atravessar para se atingir o território da invenção. Não que *necessário* possa significar necessariamente opressivo e sirva para impedir seja lá quem for de descer de paraquedas em qualquer região que seja. Negar essa possibilidade de um repentino paraquedista aportar seria matematicamente negar o surto do brutalismo. E cindir o que HO costurou: matemática e brutalismo. Afirma-se a necessidade de um fluxo descoagulador da razão ardente e nunca o estabelecimento de rígida normatização do tráfego aéreo. Apagar a presença da chance é anular a possibilidade do jogo. Desígnio do Hélio: ultrapassamento da sensorialidade *malhada*. Poesia que sacraliza a revolta e anula a separação da vida, de um lado, e da arte, do outro lado. Padrão integral que sabe melar vida-obra. Hélio dedicou sempre muito tempo a elaborar a programação de sua vida. Planos. Projetos. Maquetes. Roteiros. Roteiros. Roteiros. Setas. Dardos. Ele mesmo constituiu em si um conglomerado de suprassensações. Processos de experimentações. Soube sempre partir a linha (trair) que vinha seguindo para ser fiel à invenção de rotações, vibrações, giros, gravitações, danças e saltos...

"Branco em cima, branco embaixo; quisera ver um quadro meu

numa sala vazia, toda cinza-claro. Só aí creio que viverá em plenitude. A cor-luz é a síntese da cor; é também seu ponto de partida. É preciso que a cor viva, ela mesma; só assim será um único momento, carrega em si seu tempo, e o tempo interior, a vontade de estrutura interior. É preciso que o homem se estruture" — escrevia Hélio antes de completar vinte e três anos, aproximando-se do ponto de mutação, em maio de 1960.

"Hélio Oiticica (Rio de Janeiro, 1937-80) foi o maior inventor da arte brasileira — um dos maiores da arte contemporânea, em todo o mundo. Absolutamente original, sua obra é um dicionário de proposições e conceitos inovadores" — assim resume audaciosamente o crítico de arte Frederico Morais.

"... A man who was the axis of his time" (Wallace Stevens, extraído do poema "An Ordinary Evening in New Haven").
Foi embora o homem-eixo de sua era, a meu ver. Um que atraía muitos, diversos, diferentes entre si. Por isso digo eixo. Poderia dizer: arranjos dinâmicos. Hein, arranjos dinâmicos? *Arranjos dinâmicos*, aliás, é o título de uma tela de Kazimir Malevich, pertencente ao acervo do MOMA, Museu de Arte Moderna de Nova York. *Arranjos dinâmicos*: sempre me instigou a tela e o título; seu título — *Arranjos dinâmicos* — possui uma autonomia conceitual que pode ser transposta para compreender outras situações e, particularmente, nosso personagem HO e sua rede diversificada de relações.

Na bandeira da escola de samba Estação Primeira de Mangueira há um desenho de um surdo ladeado de dois ramos de louros e encimado por uma coroa. O surdo metonímico significa o inteiro samba. Enrolado na bandeira da escola de samba Estação Primeira de Mangueira, Hélio Oiticica foi enterrado no Cemitério São João Batista numa tarde ensolarada sob o toque pungente do surdo solitário tocado por Ubiratan, o Bira Show, filho do grande compositor verde e rosa Padeirinho, autor do samba que me vinha à mente enquanto os coveiros desempenhavam seu paisano mister: "A Mangueira é conhecida só pela batida/ Deixa muita gente comovida/ Ora veja você".

    E aí,
    agora é agora.

BALADA DE UM VAGABUNDO

eis o sol, eis o sol
o sol apelidado astro-rei
eis que achei o grande culpado
desse meu viver destrambelhado
d'eu perambular assim pirado
largando o meu acre coração desnudo lacrado
enrugado maracujá de gaveta de um prédio vazio
num terreno baldio sepultado e, logo após abandonado
ignoro qual o bairro, o cep, a rua, a carteira de identidade
não me pergunte se ser portador do número xis do cic me deixa feliz
serei chegado a um sal, qual espada que separa o bem do mal?
me viro no cê do centro, no porta-mala da estação central
dançarei nu pelado nu flagrante flagrado no mar de dentro
                                        [da cratera da lua
mesmo sem saber onde termina a minha e onde começa a sua
rebolarei embaixo da marquise, perfumado subúrbio,
                                        [triste trópico, paraíso
folhas da relva da erva do alecrim dourado manjericão grama
                                                  [do viaduto
eu não irei, você vai? vou não, doce melancolia, você ia?
                                                  [não, ia não, eu não ia
deixa a tristeza deitar, usar, abusar da fama, rolar na minha cama
dez cem mil vezes, cada noite todo dia, morro de solidão e dor

um milhão bilhão trilhão de vezes, reviro alegria, salto para o amor
um vício só somente só para mim não basta
uma inflação de amor incontrolável por meu corpo alastra
tá lotado, tá repleto de virtude e vício, o meu céu
um galo sozinho levanta a crista e cocorica seu escarcéu
um vício só somente só é pura cascata
faço treze pontos, sou pule premiada do jogo do bicho
eu sou o beijo da boca do luxo na boca do lixo
eu sou o beijo da boca do lixo na boca do luxo

HOMMAGE HOMMAGE HOMMAGE
HOMMAGE HOMMAGE HOMMAGE
HOMMAGE HOMMAGE HOMMAGE
HOMMAGE HOMMAGE HOMMAGE
HOMMAGE HOMMAGE HOMMAGE
HOMMAGE HOMMAGE HOMMAGE
HOMMAGE HOMMAGE HOMMAGE
HOMMAGE HOMMAGE **HOMMAGE**
HOMMAGE HOMMAGE HOMMAGE
HOMMAGE HOMMAGE HOMMAGE
HOMMAGE HOMMAGE HOMMAGE
HOMMAGE HOMMAGE HOMMAGE
HOMMAGE HOMMAGE HOMMAGE
HOMMAGE HOMMAGE HOMMAGE
HOMMAGE HOMMAGE HOMMAGE
HOMMAGE HOMMAGE HOMMAGE
HOMMAGE HOMMAGE HOMMAGE
HOMMAGE HOMMAGE HOMMAGE

HOMMAGE

Texto publicado em *Hélio Oiticica*, catálogo da exposição internacional, editado em holandês, francês, espanhol, catalão, inglês, para coincidir com a apresentação da mostra de Hélio Oiticica, Projeto Hélio Oiticica, Rio de Janeiro, Galerie Nationale du Jeu de Paume, Paris, Witte de With, Center for Contemporary Art, Rotterdam (1992). Reproduzido em separata pela Galerie Nationale du Jeu de Paume, Paris (1992) e na revista inglesa *Third Text*, n. 28-29, Londres, 1994.

Publicado também no caderno Mais!, da *Folha de S.Paulo* (16/02/1992), e no catálogo do evento/exposição Iconoclastias Culturais. São Paulo: Casa das Rosas, out. 1998-jan. 1999. Incluído na antologia *Arte contemporânea brasileira*, Rio de Janeiro, Marca d'Água Livraria e Editora, 2001 (Coleção N-IMAGEM).

Inclui o texto "Estandarte antilamúria", escrito para o catálogo da exposição Hélio Mangueira Oiticica, Galeria UERJ/RJ, dez. 1990, publicado no pôster da exposição, e também publicado no caderno Ideias, do *Jornal do Brasil*, 02/12/1990, Rio de Janeiro.

... Toute commémoration est aussi trahison...

MERLEAU-PONTY

1.
Sol, eixo, feixe de convergências e divergências, bólide de ambivalências e contradições milionárias, neto do mentor e militante do movimento anarquista **AÇÃO DIRETA**, Hélio Oiticica enquanto vórtice de um Brasil complicado. De um Brasil complexo. Culpa e culpa e culpa e cárcere escuro e calabouço e masmorra, herança pesada de um Portugal inquisitorial e da pedagogia colonizadora jesuítica e do marcante espírito da Contrarreforma. O Brasil é um gigante semiadormecido do Atlântico Sul marcado por um abismo socioeconômico quase sem paralelo no planeta Terra: um punhado de milionários representando a peça de teatro intitulada "A vida na ilha do então Xá Reza Pahlevi" e uma classe média cada vez mais encolhida e uma horda imensa de miseráveis. Parada. Uma longa sequência de ditaduras militares, cada *pronunciamento* seguido de outro *pronunciamento*. O mito da democracia racial desmentido pelo real apartheid das favelas. A prática eventual epidêmica da tortura de presos políticos e a prática permanente endêmica da tortura de detentos comuns. Linchamentos. Esquadrões da morte. E a democracia que na cansada e sempre repetida metáfora vegetal permanece uma plantinha anêmica, débil, sofrendo visíveis dificuldades de aclimatação ao solo áspero. Genocídio dos índios. Assassinato dos menores abandonados nos centros urbanos. **IMPASSE**. O Brasil posto em questão é um nó cego difícil de desatar.
INCORPORO A REVOLTA.
Hélio Oiticica, este homem-poliedro em estado de permanente intensidade, amalgamou *cosa mentale* e transe instintivo genital em que a obra espelha o paroxismo do prazer (*Teu amor eu guardo aqui*), dança do intelecto e dilaceração dionisíaca, obsessiva ideia de fundar uma nova **ORDEM** frente às categorias exauridas da arte e a indignação da rebeldia ética, a quase catatonia do *Quasi Cinema* e o júbilo epifânico (reino do **SUPRASENSORIAL**) do **ÉDEN**, num todo

múltiplo, totalidade indivisível vida/obra. Oiticica foi movido pela legenda **EXPERIMENTAR O EXPERIMENTAL**, tensionou a si mesmo enquanto campo imanente de possibilidades **SÍSMICAS** e se metamorfoseou em vertigem, voragem, redemoinho. **VÓRTEX**. Na linha abaixo do equador.

2.

HO levou até as últimas consequências a opção expressa no manifesto neoconcreto (1959) pelos organismos vivos. Sua imersão na comunidade marginal do Morro da Mangueira, na quadra de ensaio da escola de samba Estação Primeira da Mangueira onde o samba é madeira e vem balançando o galho da velha Mangueira, aprendendo com Miro a virar passista. Um dos passos que o Miro ensinou ao Hélio foi o *parafuso*, que consiste em o corpo saltar do plano do chão e rodopiar qual um parafuso no ar e voltar de novo ao solo num giro alucinante. Como se diz na nossa gíria: HO entrou em parafuso. Passo arrojado. Ruptura radical com a visão etnocentrista do seu grupo social e drible nos círculos da cultura dominante de então. A vida de Hélio se retemperou no calor do embalo do samba. Samba, o dono do corpo, expressão musical das etnias negro-mestiças no quadro da vida urbana brasileira. A vida do Hélio ganhou uma têmpera nova no calor do embalo do samba, mas não abdicou nunca da vontade de construir novas estruturas espaciais e não se ofuscou como replicante de Rimbaud. O Morro da Mangueira não era caricatura da Abissínia. Traficante de escravos na África, Arthur Rimbaud emudeceu e fez de si mesmo um Saara. A Mangueira HO é prenhe de sinais e símbolos clamando para se transmudar em linguagem. Hélio-demiurgo não quedou chapado na curtição hedonista nem na impressão servil do vivenciado. Territorializador de vastos domínios, ele soube bater o cinzel no joelho do Moisés terceiro-mundista e fazer aflorar a fala da favela. O nódulo decisivo nunca deixou de ser o ânimo de plasmar uma linguagem-convite para uma viagem.

Fala Mangueira, fala...

3.
TROPICÁLIA é a redução eidética (de *eidos, please*) contida numa pílula ambiental sintética preparada pelo feiticeiro Hélio Oiticica, nosso Kurt Schwitters.
TROPICÁLIA: *Merzbau* brasileiro.
Hélio Oiticica cunhou a expressão para conceituar o ambiente que ele realizou no Museu de Arte Moderna do Rio de Janeiro, em abril de 1967, meses antes do grande compositor brasileiro Caetano Veloso fazer uma música e colar o mesmo selo. **TROPICÁLIA** nasceu num rio de **HÚMUS** generoso. E o desembocar **MEÂNDRICO** do ateliê de Ivan Serpa, do círculo Mário Pedrosa, do Suplemento Dominical do *Jornal do Brasil*, do movimento neoconcreto, da teoria do não objeto, da ideia de superação do espectador, do *Bicho* de Lygia Clark, da arquitetura das favelas, do buraco quente, das quebradas do Morro da Mangueira, do Tuiuti, da Estrada de Ferro Central do Brasil, dos fundos de quintal da Zona Norte, do Mangue, do samba, da prontidão, da liamba (*Cannabis sativa*), e outras bossas.
Um em busca do **ÉDEN** nas rodas da malandragem.
A PRAIA DA TROPICÁLIA.

4.
A fecundidade HO deriva da tensão pendular transgressão/construtivismo.
A caixa de **CARA DE CAVALO** enquanto estrutura homóloga do livro **LES DAMNÉS DE LA TERRE** de Frantz Fanon e antípoda do cepecismo Stalin/Zdanovista do filme **CINCO VEZES FAVELA**.
A linha russa do Hélio é suprematista. Sua mente-flecha num fixo esforço de altura obsessiona Kazimir Malevich. **METAESQUEMA** é malevichmania.

5.
Nova sensibilidade explodindo a velha sintaxe conformada/conformista.

SEJA MARGINAL, SEJA HERÓI e o strip-tease do humanismo do assim chamado "homem de bem" que proclama satisfeito "bandido bom é bandido morto". Presuntos a granel, aumento dos locais de desova, Esquadrão da Morte enquanto justiceiro de Deus e da Pátria e da Família. Pena de Morte e decepamento da cabeça e corte do caralho para animar a primeira página deste tecido de horrores que é o jornal *O Povo*.

O "homem de bem" é um amoral nato.

6.
O Rio de Janeiro superlotado de mendigos parece uma encenação permanente da **ÓPERA DOS TRÊS TOSTÕES** de Bertold Brecht pelo Berliner Ensemble. Mendigo tem que se virar para sobreviver no Rio, na Babilônia ou em Calcutá. Catar os materiais mais inesperados. O que der ou vier. O primeiro **PARANGOLÉ** foi calcado na visão de um pária da família humana que transformava o lixo que catava nas ruas num conglomerado de pertences. Mas **PARANGOLÉ** também é dança onde o homem ou a *Donna é Móbile*. Encaro **PARANGOLÉ** como um encontro de águas, uma **POROROCA** entre o insight naturalista, a foto crua da bricolagem de objetos heteróclitos e bizarros do mendigo na frente do Museu de Arte Moderna do Rio e por outro lado o diálogo altivo descolonizado e o aprofundamento das questões levantadas pelas anti-*stabiles*, esculturas aladas de Alexander Calder.

O **PARANGOLÉ** quando gira no espaço real encarnado por um corpo pulsante dispara e presentifica camadas e camadas e camadas de sinais.

Sem artepoverismo e nem embelezamento da miséria.

7.
Ao mesmo tempo fina flor e palmeira do mangue, Hélio Oiticica é supercarioca, sem privilegiar clichês folclóricos, a "cor local". Não dá para imaginar o personagem de Disney, Zé Carioca, usando a capa **ESTOU POSSUÍDO** ou a capa **INCORPORO A REVOLTA**. Ou então as mulatas esculturais-pitorescas da casa de espetáculos para turistas Oba Oba do Sargentelli ou do show *Brasil Dourado* da Churrascaria Plataforma ter como ambientação o que denomino estandarte antilamúria:

DA ADVERSIDADE VIVEMOS.

8.
ESTOU POSSUÍDO
Capa é como se fosse uma máscara mágica que não remete para uma ancestralidade arquetípica nem para um presente que se anula enquanto presente quando se coagula ou muito menos para um futuro utópico. **ESTOU POSSUÍDO** pelo fogo do múltiplo desdobrar da **PERSONA** camaleônica do Deus **PROTEU**. É o jogo entre o vazio e o pleno. É o metamorfosear-se, é o tornar-se, é o reino do vir a ser. É um espírito religioso que emerge pleno de entusiasmo. Entusiasmo, palavra grega que quer dizer penetrado pelos deuses de muitas faces. O objetivo suprematista do branco sobre o branco se converte no propositor de máscaras sobre máscaras.

ESTOU POSSUÍDO não é a voz da personalidade mas a vez do **MÉDIUM**. HO é um inventor, não é um fixador de tipos mas sim um produtor de protótipos.

SOMETHIN' FA' THE HEAD. FA: aqui ressoa a voz da variação do inglês *black* de Nova York.

9.
A escola de samba Mangueira é caracterizada pelas cores verde e rosa. Rito de passagem, o transe metamórfico do Hélio deve ser

percebido também enquanto modulação cromática. A ruptura com o etnocentrismo pode ser cromaticamente visualizada pelos seus dois vértices antagônicos: por um vértice, empalidecimento crescente e desbotamento irreversível do velho quadro do seu grupo social de origem: por outro vértice, o ensaio da quadra da verde e rosa encarado como um mito vital da ressurreição da cor do mundo. Cintilações. Reverberações. Relâmpagos.

O brilho e a cor do mundo resultam do espatifamento e extinção da ideia do lar, foco de luz mesmerizante, único lugar, peito que hipnotiza boca, um eixo fixo. Cambiante, o **MUNDO-ABRIGO** é um jardim de veredas que se bifurcam. Fissura. Delírio ambulatório, **MITOS VADIOS**, o desejo errante, ninfomaníaco, que pode perceber num detrito, nos escombros, numa sobra, num dejeto de asfalto do centro da cidade do Rio de Janeiro, o mapa da ilha megalópolis-atual reencarnação da Roma de Agripina. O resto de asfalto e seu mais que provável destino de escória se reveste agora do caráter de achado arqueológico do presente movediço, de avatar da Roma ou da Babilônia contemporânea:

MANHATTAN BRUTALISTA.

10.

HO despido do complexo de inferioridade do mundo periférico e livre do império do pastiche das modas artísticas do mundo afluente. HO, equilibrista que se mantém entre uma *forma mentis* hipersofisticada e a inocência do estado bruto de criação. HO é um gigante canibal da América do Sul.

11.

OLFÁTICO

Cheiro de pó de café donzelo cafungado através deste bizarro "narguilé de nariz" maquinado por HO e que ele com precisão denominou **OLFÁTICO**. Mas em vão dicionários serão vasculhados porque **OLFÁTICO** embora primordial ainda não se encontra incluído lá neles. O olfático precede o olfativo que só se constitui enquanto discurso mediato. **OLFÁTICO** é a sensação direta, *en train de se faire*, imediata.

12.
NOVELETA EXEMPLAR
No sousandradino inverno/inferno de Nova York numa de nossas intermináveis conversas no seu *Babylonest*, Hélio me contou que uma turista *brasilly* fez de tudo para que ele morresse de nostalgia do esplendor da Mangueira numa projeção fantasmática de imagens eróticas do esquenta pro Carnaval daquele ano. Desalienado e confirmado da qualidade especial das suas vivências, Hélio desatou aquele nó com uma fulminada digna de um *koan zen*:
— **A MANGUEIRA SOU EU.**

13.
SOB O SIGNO DA DEVORAÇÃO
A margem do rio e o uso de materiais precários, a subversão axiológica privilegiando o submundo e os fora da lei, o fato de nunca ter macaqueado as revistas importadas transformam os conceitos-criações de Hélio em exportáveis e universais e certamente e talvez e virtualmente o **BRASIL HO** que mostra a sua cara e cujo cartão de crédito é uma navalha se inscreverá no circuito do esgotado primeiro mundo porque é brutalista e matemático, delirante e rigoroso, geométrico e carnaválico, transgressor de valores e construtivista.

Já o corrente projeto do Brasil *clean* Collor de pular de paraquedas e mala Vuitton no primeiro mundo, este, certamente, é um *bateau-mouche* furado.

Olor podrido de jasmim.

14.
ÉDEN

Oposto ao *pesadumbre* e *remordimientos* da tradição judaico-cristã onde quem saboreia a gostosura da maçã é expelido do paraíso, o **ÉDEN HO** se alcança no pleno desenrolar das potencialidades criadoras e é o espaço de lazer não repressivo. Há um apagamento não só dos traços mas até da noção inculcada do pecado original. Otário não penetra neste **ÉDEN**.

ÉDEN é a linha de plena constituição da **SUPRASENSORIALIDADE** que se perfaz sobre o terreno de todos os sentidos e da intersensorialidade. **ÉDEN** é olfático/tátil/sonoro/visual. Otário não penetra neste **ÉDEN**.

15.

O corpo de ébano de Nildo faz vibrar o **PARANGOLÉ** num vigor cinético elementar e assim é pioneiro e precursor do que posteriormente vem a ser catalogado como arte cinética.

HO enquanto cartógrafo de uma terra ignota: O **TERRITÓRIO DA INVENÇÃO**. Chão e céu. Um Cristóvão Colombo veste um **PARANGOLÉ-placenta-capacete** de astronauta da espaçonave Terra. O céu do céu do céu do céu do céu do céu do céu não é mais uma promessa ilusória no mundo além-vida, mas *hic et nunc*, ou seja, aqui e agora. **NINHOS. COSMOCOCA. BABYLONEST. HENDRIXISTS. NEWYORKAISES.** O mundo imanente transmudado em mundo-mãe. Sem viscosidade regressiva.

Fogos novos de inusitadas pigmentações para **ELE, O SOL**, que combateu sempre no limiar do ilimitado, na zona de fronteira da **SUPRASENSORIALIDADE**.

Hélice propulsora. Arquiteto dos signos em ereção de um mundo precário.

O fora da lei **CARA DE CAVALO** vivia, melhor dizendo, tinha seu esconderijo na favela conhecida como a **FAVELA DO ESQUELETO**, quer dizer, uma favela destituída de qualquer ornamento de carne, uma favela sem nem pele, uma favela só osso, puro esqueleto. O **BÓLIDE-CAIXA CARA DE CAVALO** é bifronte: por uma face, é um canto de amor ao amigo bandido assassinado pelo Esquadrão da Morte; por outra face, para o assim pejorativamente chamado "homem de bem", são gotas terríveis borrifadas de um frasco das essências mais venenosas das cobras da fauna brasileira tais como jararaca, urutu, cascavel ou coral. Equivalente imaginário da extensão da dor e da perda, o **BÓLIDE-CAIXA "CARA DE CAVALO"** quer ser picada letal na consciência das belas almas. Signos em ereção de um mundo precário. Mundo mais que precário, tão precário que parece aquém da precariedade, tão precário que parece anteceder aquelas condições mínimas que costumam existir para que se designe um mundo precário de mundo precário.

Bem distante do círculo dos marchands, da ciranda das galerias e vernissages, esta terra cor de terra quando treme que se insinua neste **EVANG'HÉLIO** pagão.

QUASE HELIOGÁBALO

Texto publicado no livro *Armarinho de miudezas.*
Salvador, Fundação Casa Jorge Amado, 1993.

QUASE HELIOGÁBALO
BARCELONA HOITICICA, 1992, FUNDACIÓ ANTONI TÀPIES

Apontamentos para leitura da foto HO *Delirium ambulatorium*

Hélio extremado em Heliogábalo. *Heliogábalo ou o anarquista coroado* de Antonin Artaud, um herói negro do nosso tempo, nascido num berço de esperma e morto num travesseiro de sangue. Desbussolado no exagero grotesco **CAMP**. Encarnação do mito hermafrodita. HO usa a peruca da crítica brasileira de arte Esther Emilio Carlos em **MITOS VADIOS**, evento organizado por Ivald Granato (1978). Hélio inventa Helena inventa Angela Maria e o *Quasi Cinema*, que quer dizer o que não é ainda completamente cinema. Não se constituindo absolutamente em anticinema ou não cinema, é o desejo ainda não cumprido inteiramente de chegar a ser cinema. O quase significa que o fio do enredo é cortado — o plot —, o anedótico; só restam imagens. Do Metaesquema ao *Quasi Cinema*: a mesma vontade de se afastar da conclusividade, a mesma garra de manter os terminais em aberto, a tarjeta não quer e não pode aderir completamente aos objetos criados, fica uma brecha sempre:

    um meta,
    um quase,
    um trans.

Pois ele sabia que uma coisa nomeada é uma coisa morta, e ela é morta porque é separada. Uma ambição voraz semelhando o projeto creacionista do grande poeta chileno Vicente Huidobro quando anuncia: *"Otra cosa, otra cosa buscamos"*. *"Tout se passe par raccourci, en hypothèse, on evite le récit"*, Mallarmé.

Mostra-se, em lugar de contar, de narrar.

O mundo ou melhor dizendo o quase cosmos é o cinema e o *Quasi Cinema* é o cosmos, tautologias de imagens reflexas e refletidas. Espelhamento descontínuo, disjuntivo. O poder de fingir ou seja de esculpir um duplo imperfeito do mundo do cinema. Uma meta, um quase que quebra qualquer sentido de comodidade ou segurança prévias. Metaesquema e *Quasi Cinema* se originam dum defeito, dum insólito desvio. Uma falha tornada fagulha.

DELIRIUM AMBULATORIUM, *rêverie* em plena luz do dia, *day-dream*, fazer e desfazer castelos no ar, quimera e mimetismo dum fazedor de labirinto que se transveste no Minotauro, híbrido habitante saído d'algum Manual de Zoologia Fantástica. As ferramentas de trabalho e as maquiagens em **COSMOCOCA** eram aplicadas num ápice de prazer sobre Marilyn, Hendrix, capa do livro **NOTATIONS** de **JOHN CAGE**, Don Luis Buñuel, enfim sobre imagens apropriadas do mundo externo; agora, no **DELIRIUM AMBULATORIUM**, sua cara e seu corpo são o suporte e a obra *au naturel*. Dentro do labirinto do estacionamento de automóveis da rua Augusta, São Paulo, surge um monstro.

Um monstro: peruca, riso maníaco-demencial e sunga com a pica intumescida ou com a pica semi-intumescida, *hard-on or half hard-on*, meia e tênis bem "casual". Q feiticeiro para enfeitiçar o mundo se enfeitiça como alguns tipos exemplares de insetos lepidópteros (lagartas, principalmente a **TATARANA**, a semelhante a fogo, a lagarta-de-fogo, que queima ao contato dos seus pelos, e certas belíssimas borboletas cujas cores fascinantes emitem um fedor que afasta os animais predadores), HO afirma assim sua afinidade eletiva com esses exemplares de insetos das matas brasileiras que seu pai entomólogo experimentava examinar. Aliás, a atração pela palavra **EXPERIÊNCIA** e a invenção da senha **EXPERIMENTAR O EXPERIMENTAL** e todo este primado da **POESIA-EXPERIÊNCIA** patente nos textos e na obra de HO não derivariam de uma fixação propulsora na figura do pai e nos seus métodos científico-experimentais???

Hélio cumpre o pai enviesado, se desviando. Espécie meândrica de realização do islâmico **MACKTUB** que diz que Deus escreve certo por linhas tortas; para ele pode ser que esteja escrito mas essas linhas tortas ele entortaria ainda bem mais. Do discurso genérico-científico ele carrega a **EXPERIMENTALIDADE** a toda uma série de séries de proposições corporais. Corporais de que corpo? Temos muitos; o corpo dos anatomistas e dos fisiologistas; aquele que a ciência vê ou de que fala. Mas ele escolhe um outro corte: o corpo capaz da fruição sensorial, o corpo desreprimido, o corpo erótico, o corpo matriz das singularidades e fonte dos desvios do mosaico de mandamentos paterno.

Em *Heliogábalo ou o anarquista coroado*, Antonin Artaud está situado num ponto além da lucidez, ele não está lúcido, não se encontra naquele lugar em que esterilidade e lucidez se amalgamam, em que paralisia e lucidez são sinônimos; está aquém-além do lúcido, está **TRANSLÚCIDO** quando diz: "Eu vejo em Heliogábalo não um louco, mas um insurrecto... Sua insurreição é sistemática e sagaz".

Delirium ambulatorium.

Hélio surge demencial, imantado pela reverberação de uma aparência de bacante, dançando, girando, uma mênade enlouquecida, **ESTOU POSSUÍDO**, gargalhava das obras de arte expostas ao redor pelos outros artistas, balançava, blusa com a imagem dos Rolling Stones, blusão com a estampa do Jimi Hendrix, maquiagem carregada de ator de teatro japonês fazendo papéis femininos, o salto plataforma prateado, sério nunca, a performance era a chalaça com a pretensa seriedade dos artistas comprometidos com o mercado de arte. Insurrecto sistemático e sagaz. Frenético. Pra lá e pra cá. Rodopiava com muita naturalidade evitando sempre tornar o espaço baldio em palco. A performance ocorreu num estacionamento de automóveis da rua Augusta perto da avenida Paulista, duas vias emblemáticas do centro nervoso de São Paulo, a cidade econômica por excelência do Brasil, HO protagonizou um **CLÍMAX CORPORAL**, um esbanjamento "exibicionista" e "inútil", ou seja, antieconômico. Errático. Passear por amor ao passeio enquanto fórmula para a libertação. Camuflagem e retorno do recalcado. Antes da performance ele declarava: — Vou de Esther Emilio Carlos. Vou com a cara da Esther. **MIMIKRI-DRESS-ART**.

La erección cosmética del travesti (Severo Sarduy).

Um poeta brasileiro, Carlos Drummond de Andrade, lamentava num verso não poder explodir a ilha de Manhattan. Hélio voraz queria engolir, introjetar, internalizar, enfiar dentro de si a inteira ilha.

Para **MITOS VADIOS** levou mas não expôs sua obra (**MANHATTAN BRUTALISTA**) que não foi feita por ele, não foi obra sua, foi achada numa caçada noturna quase sonambúlica pela avenida Presidente Vargas do Rio de Janeiro, onde a gestalt precedeu o achado do dejeto pois o design/desígnio da **BABILONISLAND** era uma perpétua fixa obsessão dele. **MANHATTAN BRUTALISTA** semelha uma forma arquetipal primeva, um perfeito peito-pica, melhor totem não há para um tal canibal.

Para **MITOS VADIOS** só não levou os óculos da crítica de arte porque eram óculos de grau, a crítica sofre de forte miopia. **TROMPE L'OEIL**. Entretanto não era uma cópia servil mas sim uma paródia do "artista sério", um fingimento que quer dizer esculpir uma simulação de cópia de cópia de cópia do perfume queimado da essência de Esther. Que resulta numa arquitetura própria e distinta.

Comprovava a tese famosa de Wittgenstein: "o significado é o uso".

HO curtia la erección cosmética. Saboreava o gosto das metamorfoses.

Barcelona, cidade heteróclita e bizarra, 5 de outubro de 1992

APÊNDICE

FLORES DA AMIZADE[1]

Hélio Oiticica: Qual é o parangolé? é um dos trabalhos que Waly Salomão escreveu como forma de tributo à personalidade artística que mais admirava e com a qual, em vários momentos de sua vida, trocou experiências poéticas, artísticas e ideológicas de raro valor.

Waly adverte logo no início do texto que fará uso de "estilo enviesado" para narrar memórias de episódios artísticos e poéticos, crônicas, críticas, anedotas e reflexões sobre a arte de Hélio Oiticica. Tudo visto pelo olho da poesia, bem de dentro, sem qualquer espécie de meio-termo. Tudo ao céu e tudo ao mar.

Há alguns anos, conversando com Bartomeu Marí, o crítico de arte catalão, falávamos sobre problemas de preservação de obras de arte de difícil classificação e ele me disse que a verdadeira preservação de uma obra de arte acontece quando se pode ver a presença da obra de um artista dentro da obra de outro artista, ou seja, quando aquilo que foi ou é para um está presente no outro, contém a obra do outro, não de maneira formal ou conceitualmente identificável, porém reconhecível em seu resultado final, em sua síntese.

Reciprocidade absoluta é o que marca as visões que Waly e Hélio souberam partilhar e expressar no mais elevado plano de reconhecimento que um artista pode obter do outro.

Assim, *Hélio Oiticica: Qual é o parangolé?*, de Waly Salomão, é uma evocação poderosa, defesa e preservação, não exatamente de

---

[1] Texto publicado como introdução à edição da Rocco, em 2003. (N. E.)

uma fisicidade das obras de Hélio Oiticica, se bem que, em última instância, beneficie também esse aspecto. Aqui está uma defesa imensurável, sobre a significação cultural e espiritual da obra de arte e do artista.

Antes de escrever *Hélio Oiticica: Qual é o parangolé?*, em 1996 Waly teve participação fundamental na situação póstuma da obra de Hélio como conselheiro do acervo do Projeto HO e contribuiu para os estudos que habilitaram a cronologia das obras apresentadas em importantes exposições e eventos no Brasil e no exterior. Conselheiro-poeta, Waly foi um dos editores da primeira antologia de textos de Hélio publicada no Brasil.

É importante, no entanto, que não se caia na cilada de usar o viés afetivo como lente interpretativa da extraordinária interlocução que existiu entre Waly Salomão e Hélio Oiticica. Creio mesmo que nenhum dos dois gostaria que a amizade que mantiveram viesse a ser especulada ou recebesse mistificações póstumas e distorções, que podem ocultar o sentido verdadeiro de questões existenciais e culturais. Só a via expressa da objetividade pode nos dar a dimensão relevante dos fatos artísticos e poéticos que uniram Waly Salomão e Hélio Oiticica.

Waly Salomão e Hélio Oiticica conheceram-se no Rio de Janeiro, provavelmente em 1967, durante a exposição Nova Objetividade Brasileira, quando Oiticica apresenta sua obra *Tropicália*, e voltaram a se encontrar em 1968, durante a manifestação coletiva Apocalipopótese, realizada no Aterro do Flamengo e da qual participaram, além de Oiticica, artistas, poetas, sambistas e passistas da Mangueira. Só em março de 1970, no entanto, uma comunicação mais estreita viria a se estabelecer entre os dois. A ocasião propícia coincide com a volta de Hélio de sua longa temporada em Londres, onde havia realizado, na Whitechapel Gallery, a grande exposição de sua carreira, a mesma que o promoveria a importante figura da vanguarda internacional nas artes plásticas.

Waly destacava sempre como fora importante para ele o momento em que mostrou a Hélio seu texto "Apontamentos do Pav 2", escrito durante os dezoito dias de prisão na Casa de Detenção do Carandiru em fevereiro de 1970, São Paulo. Reproduz o momento no capítulo "O suadouro: teatro, sexo e roubo" desta edição, e conta em diversos de seus depoimentos que Hélio foi o primeiro entusiasta. Tão empolgado ficou que logo quis desenhar e diagramar o livro para publicação, realizando a maquete do projeto gráfico. Ambicioso demais para a época, no entanto, o projeto não consegue editor e a ida de Hélio para Nova York, no final de 1970, praticamente inviabiliza sua execução.

O texto de Waly seria publicado em 1972 em seu livro de estreia, *Me segura qu'eu vou dar um troço*. A admiração de Hélio pelo texto de Waly, por sua vez, estabelece o início da amizade entre os dois, um dos mais consistentes exemplos da mão dupla visualidade/poesia, no *campo experimental* tão defendido e difundido por Hélio.

A volta de Hélio Oiticica ao Rio não se dá mais sob o signo do período que a imprensa da época definiu como *tropicalismo*, mas de outro, batizado como *contracultural* e do qual Waly Salomão seria uma das figuras centrais.

A experiência recente de Oiticica no exterior aprofunda questões em sua obra realizada no Brasil, entre elas o conceito de inter-relação das artes, que é produto direto das ideias acerca da *participação do espectador na obra de arte* e do sentido da conjunção *arte/vida*. Imanentes às obras de Oiticica, esses conceitos e posições deram lugar a muitas de suas realizações sob a égide de parcerias e conexões fortes com Rogério Duarte, Jackson Ribeiro, Antônio Manuel, Glauber Rocha, Rubens Gerchman, Antônio Dias, Torquato Neto, Luiz Carlos Saldanha, Mário Pedrosa, Ferreira Gullar, Lygia Pape, Caetano Veloso, Gilberto Gil, José Celso Martinez Corrêa, Nildo da Mangueira, Rose de Souza Mattos, Desdemone Bardin e tantos outros.

Aspecto pouco valorizado e estudado na obra de Oiticica, esses encontros de objetivos artísticos, ideológicos e existenciais ganhariam importância de ordem estrutural ainda maior para Hélio, que a partir de sua volta ao Rio ampliaria a rede de interlocuções que habilidosamente saberia administrar pelo resto de sua vida.

A *experimentalidade* tal como definida por ele está profundamente apoiada nessas possibilidades do vivido, nas vivências de poéticas com e do outro, fenômeno que se dá também pela impregnação entre campos expressivos. Tão mistificada e frequentemente deturpada, a experiência de Hélio Oiticica na Mangueira é parte do que isso significava para ele.

Para se entender bem o sentido cultural da relação entre Waly e Hélio, é necessário compreender como foi importante a ideia de *campo experimental* na obra de Hélio Oiticica e de como esta sua ideia e posição resultaram em significativas contribuições para a arte brasileira a partir dos anos 1960 e 70. O que Hélio Oiticica definiu como experimental tem origem em fatos artísticos da experiência neoconcreta. A célebre formulação de Mário Pedrosa — *o exercício experimental da liberdade* — de forma sintética definiu o todo, a suma dos postulados neoconcretos. Hélio, como um dos protagonistas do movimento, soube expandi-lo e radicalizá-lo em seu extenso caminho de descobertas e invenções.

Coisas das vanguardas artísticas do século XX.

Desde o impressionismo, fauvismo, dadaísmo, futurismo, surrealismo, as vanguardas travaram ininterruptas batalhas ideológicas, em que sistematicamente negavam umas às outras, em processo crônico de rupturas e oposições até o seu limite crepuscular no final da década de 1960, quando se tornam visíveis a escassez e o esgotamento de estratégias conceituais. A partir daí, sobrevivem ainda manifestações de espírito vanguardista, porém já demarcadas por uma tradição.

O Grupo Frente (1955-6) e o neoconcretismo (1959-60), no Brasil, tiveram sua gênese na tradição das vanguardas europeias.

Realizaram, entretanto, transformações profundas dentro dessa tradição e estabeleceram novas bases para a cultura do Brasil. Contribuições importantes que definiriam caminhos para próximas gerações, e até mesmo para o que hoje se convenciona chamar arte contemporânea.

Como se sabe, a poesia teve papel determinante na condução de ideias e sustentação do movimento neoconcreto. Um bom exemplo disso é a participação do espectador na obra de arte tal como captada nos poemas neoconcretos de Ferreira Gullar, os objetos transintáticos, manipuláveis, cromáticos e espaciais e os livros e edições realizados por outros integrantes do grupo. Oiticica começa a desenvolver diálogo e possibilidades de trabalho com outras artes ao incluir em sua obra de 1960, *Projeto cães de caça*, o *Poema enterrado*, de Ferreira Gullar, e o *Teatro integral*, de Reynaldo Jardim. A partir daí, a presença da poesia será marcante em todas as suas ordens conceituais e programas como *Penetrável, Bólide, Parangolé, Manifestações ambientais, Apropriações*.

O movimento *contracultural* de 1970 herda e mantém ideias importantes do movimento musical tropicalista e absorve fortemente o sentido experimental nas manifestações coletivas, nas parcerias, colaborações e articulações em grupo. Novos talentos surgem em eventos fora do circuito institucional, publicações alternativas, no cinema em Super-8, no teatro de rua e espetáculos musicais. Dentro desse espírito, Hélio Oiticica participaria e apoiaria de forma substancial as novas ideias e articulações, que confirmam aquilo que já formulara e exercitava. Mesmo à distância, no tempo em que vive em Nova York, mantém comunicação assídua através de cartas, gravações sonoras, publicação de textos na coluna "Geleia geral" de Torquato Neto no jornal *Última hora*, em que defende suas posições ideológicas e a importância da qualidade da nova produção de artistas plásticos, poetas e cineastas. A interlocução entre Hélio, Waly e Torquato é fortíssima nesse período, e a publicação da revista *Navilouca* marcaria época como manifesto dessas possibilidades do "experimental experimentado".

De Nova York, Hélio produz especialmente para a revista *Pólen* o texto "Carta a Waly" (1973), eloquente homenagem, em que lhe dedica o melhor de tudo que lhe era espiritualmente valioso: Rimbaud, Mondrian, Malevich, Nietzsche, Artaud, Haroldo de Campos. Em 1978, quando volta ao Brasil e realiza sua obra *Somethin' fa' the head 2* ou *Parangolé de cabeça*, de 1974, para o filme *HO*, de Ivan Cardoso, Hélio convida Waly para participar da nova proposição, cobrindo-lhe o rosto de pigmento vermelho e envolvendo-o com faixa de tecido transparente, dessa forma evocando uma foto do próprio Waly feita por Maurício Cyrne e enviada a Hélio. Na imagem, o rosto de Waly em close-up com cocar de índio e pintado também de vermelho. Hélio fixa a foto na cabeceira de um de seus *Ninhos* em Nova York entre suas imagens favoritas. Essa situação é registrada pela câmera de Andreas Valentin e publicada como anexo ao texto "Carta a Waly".

O texto "HOmmage", que Waly escreveu para o catálogo da exposição retrospectiva de Hélio na Europa e Estados Unidos (1992-4), representou para o público estrangeiro uma visão inesperada e desconcertante do universo de Hélio: a visualidade pelo olhar da poesia, fato pouco comum para as interpretações da crítica especializada dos museus. Nada mais coerente, para um artista como Hélio, que foi mais prontamente compreendido pelos poetas do que pela própria crítica de arte no Brasil. A exposição retrospectiva de Oiticica apresentada em Rotterdam, Paris, Barcelona, Lisboa e Minneapolis foi acompanhada de debates, palestras, sempre com a participação de poetas. Waly esteve presente em vários debates e na Fundació Antoni Tàpies, em Barcelona, 1993, onde escreveu e leu o texto "Heliogábalo".

A visão dos poetas não explica a arte pela historicidade formal ou conceitual, pelas *démarches* institucionais ou através de política das artes. Próxima em espírito, em essência, fala-nos de dentro do território da arte: região que não se pode querer organizar nem midiatizar. Combativo e categórico, Waly não negociaria em qualquer medida a defesa da "liberdade livre" na sua arte, na poesia. Seu poema inédito "Vaziez e inaudito" é parte do conjunto de seus últimos textos e versa sobre l'*état de choses* nas artes e artistas de hoje. Um rememorado diálogo com Hélio Oiticica.

Luciano Figueiredo, diretor do Centro de Arte Hélio Oiticica.
Rio de Janeiro, novembro de 2003

HÉLIO OITICICA: QUAL É O PARANGOLÉ? E OUTROS ESCRITOS[2]

Hélio Oiticica: artista poliedro, caleidoscópio através do qual achamos nosso lugar de ver e sermos vistos. Brasileiros de nossa época: um pensamento visual próprio que se recusa a folclorizar o próximo ou a copiar o cânone distante. "a mangueira sou eu", afirmava, com ares de Flaubert/Bovary, o nosso Rimbaud construtivista.

É raro privilégio navegar Hélio pelas mãos de Waly. Identidade de princípios, olhar de poeta, proximidade de cúmplice e clara complexidade de fino intelectual é o que nos oferece Waly Salomão.

Um livro para entendidos, parafraseando *Araçá azul*. Leitura obrigatória para aqueles interessados em arte, sociedade e história brasileira recente. Devorar Hélio e devolvê-lo Oiticica. Com veneno e nunca, jamais, um momento de tédio.

Em tempo: no capítulo "Hic et nunc aqui agora — Incorporo a revolta" o poeta delineia um dos mais originais e lúcidos retratos de Brasil que li nos últimos anos.

Lauro Cavalcanti

---

[2] Publicado nas orelhas da edição da Rocco, em 2003. (N. E.)

CRÉDITO DAS IMAGENS

Todos os esforços foram feitos para determinar a origem das imagens publicadas neste livro, porém isso nem sempre foi possível. Teremos prazer em creditar as fontes, caso se manifestem.

pp. 1, 2 (abaixo), 5, 6, 7, 8 (acima), 9: Claudio Oiticica
p. 3 (acima): Loris Machado
p. 3 (abaixo): Desdemone Bardin
p. 4: Hélio Oiticica
pp. 8 (abaixo), 13: César Oiticica Filho
pp. 2(acima), 10, 11, 12, 16: Andreas Valentin
p. 14: John Goldblatt
p. 15: Anna Oswaldo Cruz Lehner

ESTA OBRA FOI COMPOSTA POR ACOMTE EM AMALIA E
IMPRESSA PELA GEOGRÁFICA EM OFSETE SOBRE PAPEL PÓLEN
BOLD DA SUZANO PAPEL E CELULOSE PARA A
EDITORA SCHWARCZ EM MAIO DE 2015